# BOCAS
# DEL TIEMPO

CATáLOGOS

eduardo galeano

# BOCAS
## DEL TIEMPO

Galeano, Eduardo.
    Bocas del tiempo. -- 1ª ed.-- Buenos Aires : Catálogos, 2004
    360 p. ; 21x15 cm. - (Literatura)

    **ISBN 950-895-160-5**

    1. Narrativa I. Título
    CDD 863

Diagramación de tapa:  Sebastián y Alejandro García Schnetzer
Diseño interior:  Eduardo Galeano
Las ilustraciones provienen de los tomos I y II de la *Iconografía de Cajamarca*,
recopilada por Alfredo Mires Ortiz.  Se reproducen con autorización del
autor y del editor (Red de Bibliotecas Rurales de Cajamarca, Perú)

Edición al cuidado de Olga Abásolo.

© **Eduardo Galeano**
© **Siglo XXI de España Editores S.A.**
    en coedición con:
© **Siglo XXI Editores S.A.**
© **Ediciones del Chanchito**

Primera edición, abril de 2004
Tercera reimpresión, Junio de 2005

© **Catálogos S.R.L.**
Av. Independencia 1860
1225 - Buenos Aires - Argentina
Telefax  5411 4381-5708 / 5878 / 4462
www.catalogosedit.com.ar

Impreso en Argentina / Printed in Argentina

Cuando eran hilos sueltos, y todavía no formaban parte de una trama común, algunos de los relatos aquí reunidos fueron publicados en diarios y revistas. Al integrarse a este tejido, aquellas primeras versiones cambiaron su forma y color.

* * *

Este libro cuenta historias que viví o escuché.

En algunos casos, las historias que escuché nombran sus fuentes. Quiero dar también las gracias a los muchos colaboradores que no están mencionados.

* * *

Imágenes del arte de la región peruana de Cajamarca acompañan los textos. Estas obras, pintadas, grabadas o talladas por manos anónimas, han sido reunidas por Alfredo Mires Ortiz en un largo trabajo de exploración y rescate. Algunas tienen miles de años de edad, pero parecen hechas la semana pasada.

* * *

Como de costumbre, inexplicable costumbre, Helena Villagra acompañó este libro paso a paso. Ella compartió las historias que aquí se cuentan, leyó y releyó cada una de las páginas y ayudó a mejorar las palabras que estaban y a expulsar las palabras que sobraban.

Como de costumbre, explicable costumbre, este libro le está dedicado.

EG
*En Montevideo, al fin del 2003*

# Tiempo que dice

De tiempo somos.

Somos sus pies y sus bocas.

Los pies del tiempo caminan en nuestros pies.

A la corta o a la larga, ya se sabe, los vientos del tiempo borrarán las huellas.

¿Travesía de la nada, pasos de nadie? Las bocas del tiempo cuentan el viaje.

# El viaje

Oriol Vall, que se ocupa de los recién nacidos en un hospital de Barcelona, dice que el primer gesto humano es el abrazo. Después de salir al mundo, al principio de sus días, los bebés manotean, como buscando a alguien.

Otros médicos, que se ocupan de los ya vividos, dicen que los viejos, al fin de sus días, mueren queriendo alzar los brazos.

Y así es la cosa, por muchas vueltas que le demos al asunto, y por muchas palabras que le pongamos. A eso, así de simple, se reduce todo: entre dos aleteos, sin más explicación, transcurre el viaje.

# Testigos

El profesor y el periodista pasean por el jardín.

En eso, Jean-Marie Pelt, el profesor, se detiene, señala con el dedo y dice:

—*Le presento a nuestras abuelas.*

Y el periodista, Jacques Girardon, se agacha y descubre una bolita de espuma que asoma entre los pastos.

Es un pueblo de microscópicas algas azules. En los días de mucha humedad, las algas azules se dejan ver. Así, todas juntas, parecen una escupida. El periodista frunce la nariz: el origen de la vida no tiene un aspecto muy atractivo que digamos, pero de esa baba, de esa porquería, venimos todos los que tenemos piernas, patas, raíces, aletas o alas.

Antes del antes, en los tiempos de la infancia del mundo, cuando no había colores ni sonidos, ellas, las algas azules, ya existían. Echando oxígeno, dieron color a la mar y al cielo. Y un buen día, un día que duró millones de años, a muchas algas azules se les dio por convertirse en algas verdes. Y las algas verdes fueron generando, muy poquito a poco, líquenes, hongos, musgos, medusas y todos los colores y los sonidos que después vinieron, vinimos, a alborotar la mar y la tierra.

Pero otras algas azules prefirieron seguir siendo como eran.

Así siguen estando.

Desde el remoto mundo que fue, ellas miran el mundo que es.

No se sabe qué opinan.

# Verderías

Cuando la mar ya era mar, la tierra no era más que roca desnuda.

Los líquenes, venidos de la mar, hicieron las praderas. Ellos invadieron, conquistaron y verdearon el reino de la piedra.

Eso ocurrió en el ayer de los ayeres, y sigue ocurriendo todavía. Donde nada vive, los líquenes viven: en las estepas heladas, en los desiertos ardientes, en lo más alto de las más altas montañas.

Los líquenes viven mientras dura el matrimonio entre las algas y sus hijos, los hongos. Si el matrimonio se deshace, se deshacen los líquenes.

A veces, las algas y los hongos se divorcian, por riñas y disputas. Según ellas, ellos las tienen encerradas y no las dejan ver la luz. Según ellos, ellas los empalagan de tanto darles azúcar noche y día.

# Huellas

Una pareja venía caminando por la sabana, en el oriente del África, mientras nacía la estación de las lluvias. Aquella mujer y aquel hombre todavía se parecían bastante a los monos, la verdad sea dicha, aunque ya andaban erguidos y no tenían rabo.

Un volcán cercano, ahora llamado Sadiman, estaba echando cenizas por la boca. El cenizal guardó los pasos de la pareja, desde aquel tiempo, a través de todos los tiempos. Bajo el manto gris han quedado, intactas, las huellas. Y esos pies nos dicen, ahora, que aquella Eva y aquel Adán venían caminando juntos, cuando a cierta altura ella se detuvo, se desvió y caminó unos pasos por su cuenta. Después, volvió al camino compartido.

Las huellas humanas más antiguas han dejado la marca de una duda.

Algunos añitos han pasado. La duda sigue.

# Los juegos del tiempo

Dizquedicen que había una vez dos amigos que estaban contemplando un cuadro. La pintura, obra de quién sabe quién, venía de China. Era un campo de flores en tiempo de cosecha.

Uno de los dos amigos, quién sabe por qué, tenía la vista clavada en una mujer, una de las muchas mujeres que en el cuadro recogían amapolas en sus canastas. Ella llevaba el pelo suelto, llovido sobre los hombros.

Por fin ella le devolvió la mirada, dejó caer su canasta, extendió los brazos y, quién sabe cómo, se lo llevó.

Él se dejó ir hacia quién sabe dónde, y con esa mujer pasó las noches y los días, quién sabe cuántos, hasta que un ventarrón lo arrancó de allí y lo devolvió a la sala donde su amigo seguía plantado ante el cuadro.

Tan brevísima había sido aquella eternidad que el amigo ni se había dado cuenta de su ausencia. Y tampoco se había dado cuenta de que esa mujer, una de las muchas mujeres que en el cuadro recogían amapolas en sus canastas, llevaba, ahora, el pelo atado en la nuca.

# Los tiempos del tiempo

Él es uno de los fantasmas. Así llama la gente de Sainte Elie a los pocos viejos que siguen hundidos en el barro, moliendo piedras, escarbando arena, en esta mina abandonada que ni cementerio ha tenido nunca, porque ni los muertos han querido quedarse.

Hace medio siglo, este minero, venido de muy lejos, llegó al puerto de Cayena, y se internó en busca de la tierra prometida. En aquellos tiempos, aquí había florecido el jardín de los frutos de oro, y el oro redimía a cualquier forastero muerto de hambre y lo devolvía a casa muy gordo de oro, si la suerte quería.

La suerte no quiso. Pero este minero sigue aquí, sin más ropa que un taparrabos, comiendo nada, comido por los mosquitos. Y en busca de nada revuelve la arena día tras día, sentado ante la batea, bajo un árbol más flaco que él, que apenas lo defiende de la ferocidad del sol.

Sebastião Salgado llega a esta mina perdida, visitada por nadie, y se sienta a su lado. Al cazador de oro le queda un solo diente, un diente de oro, que cuando él habla brilla en la noche de su boca:

—*Mi mujer es muy linda* —dice.

Y muestra una foto rotosa y borrosa.

—*Me está esperando* —dice.

Ella tiene veinte años.

Hace medio siglo que ella tiene veinte años, en algún lugar del mundo.

# Palabras perdidas

Por las noches, Avel de Alencar cumplía su misión prohibida.

Escondido en una oficina de Brasilia, él fotocopiaba, noche tras noche, los papeles secretos de los servicios militares de seguridad: informes, fichas y expedientes que llamaban interrogatorios a las torturas y enfrentamientos a los asesinatos.

En tres años de trabajo clandestino, Avel fotocopió un millón de páginas. Un confesionario bastante completo de la dictadura que estaba viviendo sus últimos tiempos de poder absoluto sobre las vidas y milagros de todo Brasil.

Una noche, entre las páginas de la documentación militar, Avel descubrió una carta. La carta había sido escrita quince años antes, pero el beso que la firmaba, con labios de mujer, estaba intacto.

A partir de entonces, encontró muchas cartas. Cada una estaba acompañada por el sobre que no había llegado a destino.

Él no sabía qué hacer. Largo tiempo había pasado. Ya nadie esperaba esos mensajes, palabras enviadas desde los olvidados y los idos hacia lugares que ya no eran y personas que ya no estaban. Eran letra muerta. Y sin embargo, cuando los leía, Avel sentía que estaba cometiendo una violación. Él no podía devolver esas palabras a la cárcel de los archivos, ni podía asesinarlas rompiéndolas.

Al fin de cada noche, Avel metía en sus sobres las cartas que había encontrado, les pegaba sellos nuevos y las echaba al buzón del correo.

# Historia clínica

Informó que sufría taquicardia cada vez que lo veía, aunque fuera de lejos.

Declaró que se le secaban las glándulas salivales cuando él la miraba, aunque fuera de refilón.

Admitió una hipersecreción de las glándulas sudoríparas cada vez que él le hablaba, aunque fuera para contestarle el saludo.

Reconoció que padecía graves desequilibrios en la presión sanguínea cuando él la rozaba, aunque fuera por error.

Confesó que por él padecía mareos, que se le nublaba la visión, que se le aflojaban las rodillas. Que en los días no podía parar de decir bobadas y en las noches no conseguía dormir.

—*Fue hace mucho tiempo, doctor* —dijo—. *Yo nunca más sentí nada de eso.*

El médico arqueó las cejas:

—*¿Nunca más sintió nada de eso?*

Y diagnosticó:

—*Su caso es grave.*

# La institución conyugal

El capitán Camilo Techera siempre andaba con Dios en la boca, buenos días si Dios quiere, hasta mañana si Dios quiere.

Cuando llegó al cuartel de artillería, descubrió que no había ni un solo soldado que estuviera casado como Dios manda y que vivían todos en pecado, retozando en promiscuidad como las bestias del campo.

Para acabar con aquel escándalo que ofendía al Señor, mandó llamar al sacerdote que oficiaba misa en la ciudad de Trinidad. En un solo día, el cura administró a los soldados de la tropa, cada cual con su cada cuala, el santísimo sacramento del matrimonio en nombre del capitán, del Padre, del Hijo y del Espíritu Santo.

Todos los soldados fueron maridos desde aquel domingo.

El lunes, un soldado dijo:

—*Esa mujer es mía.*

Y clavó el cuchillo en la barriga de un vecino que la estaba mirando.

El martes, otro soldado dijo:

—*Para que aprendas.*

Y retorció el pescuezo de la mujer que le debía obediencia.

El miércoles...

# Riñas y disputas

En un callejón del centro de Santiago de Chile, un viejo destartalado vendía cigarrillos de contrabando. Sentado en el suelo, bebía del pico de una botella. Acepté un trago de su vino de cirrosis instantánea, y me detuve a charlar un rato.

Cuando le estaba pagando los cigarrillos, se vino la tromba. De pronto, las moscas huyeron, se volcó el vino, la mesita voló y una demoledora mujer levantó al anciano en un puño.

Me puse a recoger la mercadería desparramada por los suelos, mientras la dama sacudía al esmirriado y le gritaba mujeriego, putañero, que te has creío, descarao, degenerao, que andái culiando con la Eva, y con la Luci, y él balbuceaba a ésa yo ni la conozco, y con la Pamela, y él gemía ella me buscó y el bombardeo seguía, que te has revolcao con la Martita, la yegua ésa, y la puta de la Charito y la Beti y la Pati, ante la indiferencia de la gente que no prestaba la menor atención a esta pasarela de rubias platinadas con pestañas postizas y botas de reptil.

La indignada tenía al acusado contra la pared, atrapado por el pescuezo, mientras él balbuceaba juramentos, que usté es mi única, usté es mi catedral, las otras son capilliiiitas nomás, hasta que ella, apretando para estrangulación, lo echó para siempre: te mandai mudar, ordenó, te vai, que nunca más te vuelva a ver, que si te vuelvo a ver...

Y sin palabras anunció el atroz castigo. Clavándole los ojos en los santos lugares, cortó el aire con los dedos, como hojas de tijera.

Valientemente, me alejé.

# Los siete pecados capitales

De rodillas en el confesionario, un arrepentido admitió que era culpable de avaricia, gula, lujuria, pereza, envidia, soberbia e ira:

*Jamás me confesé. Yo no quería que ustedes, los curas, gozaran más que yo con mis pecados, y por avaricia me los guardé.*

*¿Gula? Desde la primera vez que la vi, confieso, el canibalismo no me pareció tan mal.*

*¿Se llama lujuria eso de entrar en alguien y perderse allí adentro y nunca más salir?*

*Esa mujer era lo único en el mundo que no me daba pereza.*

*Yo sentía envidia. Envidia de mí. Lo confieso.*

*Y confieso que después cometí la soberbia de creer que ella era yo.*

*Y quise romper ese espejo, loco de ira, cuando no me vi.*

# Subsuelos de la noche

Porque esta mujer no se callaba nunca, porque siempre se quejaba, porque para ella no había una estupidez que no fuera un problema, porque estaba harto de trabajar como un burro de carga y encima aguantar a esta pesada y a toda su parentela, porque en la cama tenía que rogar como un mendigo, porque anduvo con otro y se hacía la santa, porque ella le dolía como nunca nadie le había dolido y porque sin ella no podía vivir pero con ella tampoco, él se vio obligado a retorcerle el cogote, como si fuera gallina.

Porque este hombre no escuchaba nunca, porque nunca le hacía caso, porque para él no había un problema que no fuera una estupidez, porque estaba harta de trabajar como una mula y encima aguantar a este matón y a toda su parentela, porque en la cama tenía que obedecer como una puta, porque anduvo con otra y se lo contaba a todo el mundo, porque él le dolía como nunca nadie le había dolido y porque sin él no podía vivir pero con él tampoco, ella no tuvo más remedio que empujarlo desde un décimo piso, como si fuera bulto.

Al fin de esa noche, desayunaron juntos. Igual que todos los días, la radio trasmitía música y noticias. Ninguna noticia les llamó la atención. Los informativos no se ocupan de los sueños.

# Moral y buenas costumbres

La encerraron en una habitación, atada a la cama.

Cada día entraba un hombre, siempre el mismo.

Al cabo de algunos meses, la prisionera quedó embarazada.

Entonces la obligaron a casarse con él.

Los carceleros no eran policías, ni soldados. Eran el padre y la madre de esta muchacha, casi niña, que había sido descubierta cuando se estaba besando y acariciando con una compañera de estudios.

En Zimbabwe, a fines de 1994, Bev Clark escuchó su relato.

# Peces

¿Señor o señora? ¿O los dos a la vez? ¿O a veces él es ella, y a veces ella es él? En las profundidades de la mar, nunca se sabe.

Los meros, y otros peces, son virtuosos en el arte de cambiar de sexo sin cirugía. Las hembras se vuelven machos y los machos se convierten en hembras con asombrosa facilidad; y nadie es objeto de burla ni acusado de traición a la naturaleza o a la ley de Dios.

# Pájaros

La casa, construcción de paja y de ramitas, es mucho más grande que su habitante.

Pero alzar la casa, entre los matorrales espinosos, lleva no más que un par de semanas. El arte, en cambio, exige mucho tiempo de trabajo.

No hay dos casas iguales. Cada cual pinta su morada como quiere, con pintura hecha de bayas machacadas, y cada cual la decora a su manera. Los alrededores se alindan con tesoros arrancados del monte o de la basura de algún pueblo no lejano: las piedritas, las flores, los caparazones de caracoles, las hierbas y los musgos se ubican queriendo armonía; y las tapas de botellas de cerveza y los pedacitos de vidrios de colores, de preferencia azules, dibujan anillos o abanicos en el suelo. Las cosas van cambiando mil veces de sitio, hasta que encuentran el mejor lugar para recibir la luz de cada día.

Por algo estos pájaros se llaman *caseritos*. Ellos son los arquitectos más alegres de todas las islas de Oceanía.

Cuando ha concluido la creación de su casa y jardín, cada pájaro espera. Espera, cantando, que pasen las pájaras. Y que alguna detenga su vuelo y vea su obra. Y que lo elija.

# Urogallos

Se va el invierno, y en los bosques de hayas de Asturias se despeja la helada niebla donde anidan las brujas y los búhos.

Entonces los gallos salvajes, los urogallos, cantan desde las ramas. Ellos llaman a ellas, y ellas acuden. Es noche todavía cuando el baile se desata en los cantaderos. Antifaces rojos, picos blancos, negras barbas: los urogallos y las urogallinas se menean como mascaritas de carnaval.

Los cazadores se agazapan en el bosque, con el dedo en el gatillo.

Es muy difícil atrapar a los urogallos, que viven metidos en sus escondrijos, a salvo de todo peligro. Pero los cazadores saben que esta fiesta, la danza del encuentro, los vuelve ciegos y sordos mientras dura.

# Arañas

Pasito a paso, hilo tras hilo, el araño se acerca a la araña.

Le ofrece música, convirtiendo la telaraña en arpa, y danza para ella, mientras poquito a poco va acariciando, hasta el desmayo, su cuerpo de terciopelo.

Entonces, antes de abrazarla con sus ocho brazos, el araño envuelve a la araña en la telaraña y la ata bien atada. Si no la ata, ella lo devora después del amor.

Al araño no le gusta nada esta costumbre de la araña, de modo que ama y huye antes de que la prisionera se despierte y exija el servicio completo de cama y comida.

¿Quién entiende al araño? Ha podido amar sin morir, se ha dado maña para cumplir esa hazaña, y ahora que está a salvo de su saña, extraña a la araña.

# Serpientes

Ardían las brasas, chorreaban sus jugos los chorizos, de las carnes doradas se desprendían aromas de perdición. Frente a su casona de piedra, en la sierra de Minas, monte adentro, don Venancio ofrecía un asado a sus amigos de la ciudad.

Ya estaban por empezar a comer, cuando el hijo menor, muy chiquilín todavía, anunció:

—*Hay una víbora en la casa.*

Y alzando un palo, pidió:

—*¿La mato yo?*

Fue autorizado.

Después, don Venancio entró y comprobó: un trabajo bien hecho. En la cabeza, aplastada por los golpes, se adivinaba todavía el dibujo de la cruz amarilla. Era una crucera, y de las más grandes. Dos metros, quizá tres.

Don Venancio felicitó al hijo, sirvió el asado y se sentó. El banquete fue celebrado largamente, con varios bises y mucho vino.

Al final, don Venancio brindó por el matador, anunció que iba a darle el cuero de la serpiente, su trofeo, y los invitó a todos:

—*Vengan a verla. Era enorme, la hija de puta.*

Pero cuando entraron en la casa, la serpiente no estaba.

Don Venancio masculló la bronca, entre dientes, y dijo que hay que joderse, nomás:

—*El compañero se la llevó para la cueva.*

Y dijo que siempre es así. Sea serpiente o serpienta, macho o hembra, el muerto siempre tiene quien lo venga a buscar.

Entonces todos volvieron a la mesa, al vino y la charla y los chistes.

Todos volvieron, menos uno. A Pinio Ungerfeld le costó salir. Él se quedó en esa casa, un rato largo, clavado ante esa mancha negra seca en el suelo.

# Sobrevida

El sol se está escondiendo tras los cipreses, cuando Aurora Meloni llega al cementerio de San Antonio de Areco. La han llamado:

—*Necesitamos el lugar. Se muere mucha gente, usted comprenda.*

Un funcionario le dice:

—*Mucho gusto, señora. Son trescientos pesos. Aquí tiene.*

Y le entrega una bolsa de ésas que se usan para echar la basura.

Un automóvil enorme la está esperando.

El chofer, vestido de negro desde la gorra hasta los zapatos, maneja en silencio.

Ella agradece ese silencio.

Al otro lado de la ventanilla, el mundo corre. En un descampado, unos muchachos juegan al fútbol. Aurora no soporta esa alevosa felicidad, y da vuelta la cara. Mira la nuca del chofer. No mira la bolsa, que viaja en el suelo.

Dentro de esta bolsa de plástico, ¿quién está? ¿Está Daniel? ¿Aquel muchacho que vendía con ella queso casero y dulce de leche en las ferias de Montevideo? ¿Aquél que amenazaba con cambiar el mundo y terminó en la cuneta de una carretera como ésta, con treinta y seis balazos en el cuerpo? ¿Por qué nadie les avisó que todo iba a durar tan poco? ¿Dónde están las palabras que no se dijeron? Las cosas que no hicieron, ¿dónde están?

Los que dispararon, los asesinos de uniforme, siguen estando donde estaban. Pero ella, ¿dónde está? En este automóvil de nunca acabar, este fúnebre adefesio de alquiler, ¿está ella? ¿Es ella esta mujer que se muerde los labios y siente agujitas en los ojos? ¿Será esto un automóvil? ¿O será aquel tren fantasma que alguna vez se escapó de la vía, con ella adentro, y se la llevó a ninguna parte?

# Las trampas del tiempo

Sentada de cuclillas en la cama, ella lo miró largamente, le recorrió el cuerpo desnudo de la cabeza a los pies, como estudiándole las pecas y los poros, y dijo:

—*Lo único que te cambiaría es el domicilio.*

Y desde entonces vivieron juntos, fueron juntos, y se divertían peleando por el diario a la hora del desayuno, y cocinaban inventando y dormían anudados.

Ahora este hombre, mutilado de ella, quisiera recordarla como era. Como era cualquiera de las que ella era, cada una con su propia gracia y poderío, porque esa mujer tenía la asombrosa costumbre de nacer con frecuencia.

Pero no. La memoria se niega. La memoria no quiere devolverle nada más que ese cuerpo helado donde ella no estaba, ese cuerpo vacío de las muchas mujeres que fue.

# Unicuerpo

Con la ayuda de sus bastones blancos y unos cuantos tragos, ellos se abrían paso, mal que bien, por las callecitas de Tlaquepaque.

Parecía que estaban a punto de caerse, pero no: cuando tropezaba ella, la sostenía él; cuando él se bamboleaba, lo enderezaba ella. A dúo andaban, y a dúo cantaban. Se detenían siempre en el mismo lugar, a la sombra de los portales, y cantaban, con voz castigada, viejos corridos mexicanos del amor y de la guerra. Algún instrumento usaban, quizás una guitarra, no recuerdo, ayudando al desafine; y entre canción y canción, hacían sonar el cacharro donde recogían las monedas del respetable público.

Después, se iban. Precedidos por sus bastones, atravesaban el gentío bajo el sol y allá lejos se perdían, destartalados, rotosos, bien agarraditos el uno al otro, pegados el uno al otro en los vaivenes del mundo.

# El beso

Antonio Pujía eligió, al azar, uno de los bloques de mármol de Carrara que había ido comprando a lo largo de los años.

Era una lápida. De alguna tumba vendría, vaya a saber de dónde; él no tenía la menor idea de cómo había ido a parar a su taller.

Antonio acostó la lápida sobre una base de apoyo, y se puso a trabajarla. Alguna idea tenía de lo que quería esculpir, o quizá no tenía ninguna. Empezó por borrar la inscripción: el nombre de un hombre, el año del nacimiento, el año del fin.

Después, el cincel penetró el mármol. Y Antonio encontró una sorpresa, que lo estaba esperando piedra adentro: la veta tenía la forma de dos caras que se juntaban, algo así como dos perfiles unidos frente a frente, la nariz pegada a la nariz, la boca pegada a la boca.

El escultor obedeció a la piedra. Y fue excavando, suavemente, hasta que cobró relieve aquel encuentro que la piedra contenía.

Al día siguiente, dio por concluido su trabajo. Y entonces, cuando levantó la escultura, vio lo que antes no había visto. Al dorso, había otra inscripción: el nombre de una mujer, el año del nacimiento, el año del fin.

# El hombre más viejo del mundo

Era verano, era el tiempo de la subienda de los peces, y hacía una incontable cantidad de veranos que don Francisco Barriosnuevo estaba allí.

—*Él es un comeaños* —dijo la vecina—. *Más viejo que las tortugas.*

La vecina raspaba a cuchillo las escamas de un pescado, las moscas se restregaban las patas ante el banquete y don Francisco bebía un jugo de guayaba. Gustavo Tatis, que había venido de lejos, le hacía preguntas al oído.

Mundo quieto, aire quieto. En el pueblo de Majagual, un caserío perdido en los pantanos, todos los demás estaban durmiendo la siesta.

Gustavo le preguntó por su primer amor. Tuvo que repetir la pregunta varias veces, primer amor, *primer amor,* PRIMER AMOR. El matusalén se empujaba la oreja con la mano:

—*¿Cómo? ¿Cómo dice?*

Y por fin:

—*Ah, sí.*

Balanceándose en la mecedora, frunció las cejas, cerró los ojos:

—*Mi primer amor...*

Gustavo esperó. Esperó mientras viajaba la memoria, gastado barquito, y la memoria tropezaba, se hundía, se perdía. Era una navegación de mucho más de un siglo, y en las aguas de la memoria había mucha niebla. Don Francisco iba en busca de su primera vez, la cara contraída, estrujada por mil surcos; y Gustavo miró para otro lado y esperó.

Y por fin don Francisco murmuró, casi en secreto: *Isabel.*

Y clavó en la tierra su bastón de cañabrava, y apoyado en el bastón se alzó de su asiento, se irguió como gallo y aulló:

—*¡Isabeeeeeeeel!*

# Las páginas del tiempo

*Para cuándo*, preguntaba ella, *para cuándo*.

Una vez por semana, Miguel Migliónico pasaba por allí. La encontraba siempre en el zaguán, clavada a su sillón de mimbre, de cara a la calle, y doña Elvirita lo acosaba a preguntas sobre el embarazo de su mujer:

—¿*Para cuándo*?

Y Miguel repetía: *para junio*.

Blanca ropa, pelo blanco, siempre muy compuesta y peinada, doña Elvirita irradiaba paz, señorío del tiempo, y daba consejos:

—*Tóquele la panza, que trae suerte.*

—*Que tome cerveza negra, o malta, para que dé buena leche.*

—*Hágale los gustos, todos los antojos, que si la mujer se traga las ganas, sale la cría manchada.*

Cada viernes, doña Elvirita esperaba la llegada de Miguel. La piel, que le envolvía el cuerpo como un humo rosado, traslucía el ramaje de las venitas alborotadas por la curiosidad:

—*Y la barriga, ¿la tiene en punta? Entonces, no falla: será varón.*

Soplaban fríos los vientos del sur, el otoño se estaba yendo de las calles de Montevideo.

—*Ya falta poco, ¿no?*

Una tarde, Miguel pasó muy apurado:

—*Dice el médico que es cuestión de horas. Hoy, o mañana.*

Doña Elvirita abrió grandes los ojos:

—¿*Ya*?

El viernes siguiente, el sillón de mimbre estaba vacío. Doña Elvirita había muerto el 17 de junio de 1980, mientras en casa de los Miglónico nacía un niño que se llamó Martín.

# La madre

Una zapatilla Adidas,
una carta de amor de firma ilegible,
diez macetitas con flores de plástico,
siete globos de colores,
un delineador de pestañas,
un lápiz de labios,
un guante,
una gorra,
una vieja fotografía de Alan Ladd,
tres tortugas ninjas,
un libro de cuentos,
una maraca,
catorce broches de pelo
y unos cuantos autitos de juguete forman parte del botín
de una gata que vive en el barrio de Avellaneda y roba en
el vecindario.

Deslizándose por azoteas y cornisas, ella roba para su
hijo, que es paralítico y vive rodeado de esas ofrendas mal
habidas.

# El padre

Vera faltó a la escuela. Se quedó todo el día encerrada en casa. Al anochecer, escribió una carta a su padre. El padre de Vera estaba muy enfermo, en el hospital. Ella escribió:

—*Te digo que te quieras, que te cuides, que te protejas, que te mimes, que te sientas, que te ames, que te disfrutes. Te digo que te quiero, te cuido, te protejo, te mimo, te siento, te amo, te disfruto.*

Héctor Carnevale duró unos días más. Después, con la carta de su hija bajo la almohada, se fue en el sueño.

# La abuela

Cuando mira una montaña, Miriam Míguez quisiera atravesarla con la mirada, para entrar al otro lado del mundo. Cuando mira su infancia, ella también quisiera atravesar con la mirada esos años idos, para entrar al otro lado del tiempo.

Al otro lado del tiempo, está la abuela.

En su casa de Córdoba, la abuela escondía algunas cajas secretas. A veces, cuando Miriam y ella estaban a solas, y no había peligro de que algún intruso asomara la nariz, la abuela entreabría sus tesoros y dejaba que la nieta viera.

Aquellas lentejuelas, medallitas, plumas de pájaros, llaves viejas, palillos de ropa, cintas de colores, hojas secas y recortes de revistas parecían cosas; pero las dos sabían que eran mucho más que cosas.

Cuando la abuela murió, todo eso desapareció, quizá quemado o arrojado a la basura.

Miriam tiene, ahora, sus propias cajas secretas. A veces las abre.

# El abuelo

Los geólogos andaban persiguiendo los restos de una pequeña mina de cobre que se había llamado Cortadera, que había sido y ya no era y que no figuraba en ningún mapa.

En el pueblo de Cerrillos, alguien les dijo:

—*Eso, nadie sabe. El viejo Honorio, quién sabe si sabe.*

Don Honorio, vencido por el vino y los achaques, recibió a los geólogos echado en el catre. Les costó convencerlo. Al cabo de algunas botellas y de muchos cigarrillos, que sí, que no, que ya veremos, el viejo aceptó acompañarlos al día siguiente.

Agobiado, a los tropezones, emprendió la marcha.

Al principio, andaba a la cola de todos. No aceptaba ayuda, y había que esperarlo. A duras penas consiguió llegar hasta el cauce seco del río.

Después, poquito a poco, pudo afirmar el paso. A lo largo de la quebrada y a través de los pedregales, el cuerpo doblado se le fue enderezando.

—*¡Por ahí! ¡Por ahí!* —señalaba el rumbo, y se le alborotaba la voz cuando reconocía sus lugares perdidos.

Al cabo de un día entero de caminata, don Honorio, que había empezado mudo, era el más conversador. Iba subiendo lomas y remontando años: cuando bajaron al valle, él marchaba por delante de los jóvenes exhaustos.

Durmió de cara a las estrellas. Fue el primero en despertarse. Estaba apurado por llegar a la mina, y no se desvió ni se distrajo.

—*Ése es el trillo de la excavadora* —señaló. Y sin la menor vacilación, ubicó las bocas de los socavones y los lugares donde habían estado las mejores vetas, los fierros muertos que habían sido máquinas, las ruinas que habían sido casas, los secarrales que habían sido vertientes de agua. Ante cada sitio, ante cada cosa, don Honorio contaba una historia, y cada historia estaba llena de gente y de risa.

Cuando llegaron de regreso al pueblo, él ya era bastante menor que sus nietos.

# El parto

Al amanecer, doña Tota llegó a un hospital del barrio de Lanús. Ella traía un niño en la barriga. En el umbral, encontró una estrella, en forma de prendedor, tirada en el piso.

La estrella brillaba de un lado, y del otro no. Esto ocurre con las estrellas, cada vez que caen en la tierra, y en la tierra se revuelcan: de un lado son de plata, y fulguran conjurando las noches del mundo; y del otro lado son de lata nomás.

Esa estrella de plata y de lata, apretada en un puño, acompañó a doña Tota en el parto.

El recién nacido fue llamado Diego Armando Maradona.

# El nacimiento

El hospital público, ubicado en el barrio más copetudo de Río de Janeiro, atendía a mil pacientes por día. Eran, casi todos, pobres o pobrísimos.

Un médico de guardia contó a Juan Bedoian:

—*La semana pasada, tuve que elegir entre dos nenas recién nacidas. Aquí hay un solo respirador artificial. Ellas llegaron al mismo tiempo, ya moribundas, y yo tuve que decidir cuál iba a vivir.*

Yo no soy quién, pensó el médico: que decida Dios.

Pero Dios no dijo nada.

Eligiera a quien eligiera, el médico iba a cometer un crimen. Si no hacía nada, cometía dos.

No había tiempo para la duda. Las nenas estaban en las últimas, ya yéndose de este mundo.

El médico cerró los ojos. Una fue condenada a morir, y la otra fue condenada a vivir.

# El bautismo

Una tormenta feroz estaba bombardeando la ciudad de Buenos Aires.

El padre arrancó al bebé de los brazos de la madre, se lo llevó a la azotea y lo alzó, desnudito, en la lluvia helada. Y a la luz de los relámpagos, lo ofreció:

—*¡Hijo mío, que las aguas del cielo te bendigan!*

El recién nacido se salvó, nadie sabe cómo, de morir de pulmonía.

También se salvó de llamarse Descanso Dominical. El padre, anarquista pobre y poeta, siempre perseguido por los policías y los acreedores, quiso llamarlo así en homenaje a esa reciente conquista obrera, pero el Registro Civil no le aceptó el nombre. Entonces se reunieron los amigos, anarquistas pobres y poetas, siempre perseguidos por los policías y los acreedores, y discutieron el asunto. Y fueron ellos quienes decidieron que el niño iba a tener destino literario y merecía llamarse Catulo, como el poeta latino.

En el Registro Civil le agregaron el acento a Cátulo Castillo, el creador de *La última curda* y de otros tangos de esos que son para escuchar de pie, sombrero en mano.

# El nombre

El pueblo de Cerro Chato nunca tuvo ningún cerro, ni chato ni puntiagudo. Pero Javier Zeballos recuerda que Cerro Chato sí tenía, en los tiempos de su infancia, tres comisarios, tres jueces y tres doctores.

Uno de los doctores, que vivía en el centro, era la brújula de los mandados. La mamá de Javier lo orientaba así:

—*De la casa del Doctor Galarza, vas dos cuadras para abajo.*

—*Esto queda en la esquina del Doctor Galarza.*

—*Andá a la farmacia que está a la vuelta del Doctor Galarza.*

Y allá marchaba Javier. A cualquier hora que pasara por allí, con sol o con luna, el Doctor Galarza estaba siempre sentado en el zaguán de su casa, mate en mano, dando cumplida respuesta a los saludos del vecindario, *buenos días, Doctor; buenas tardes, Doctor; buenas noches, Doctor.*

Ya Javier era hombre crecido, cuando se le ocurrió preguntar por qué el Doctor Galarza no tenía consultorio médico ni estudio jurídico. Y entonces se enteró. Doctor no era: se llamaba. Así había sido anotado en el Registro Civil: Doctor de nombre, Galarza de apellido.

El papá quería un hijo con diploma, y aquel bebé no le pareció digno de confianza.

# El cumpleaños

Cara de hormiga sonriente, ancas de rana, patas de pollo: Sally cumplía su primer año de vida en el mundo.

El acontecimiento fue celebrado en grande. La madre, Beatriz Monegal, tendió en el piso un enorme mantel de flores bordadas, de origen inconfesable, y encendió la velita en el mástil de la torta que había comprado, a pagar nunca, en El Emporio de los Sandwiches.

En un santiamén desapareció la torta y se desató el bailongo, mientras la homenajeada dormía profundamente, envuelta en ropa limpia y almidonada, dentro de una canasta de verdulería.

A las tres menos cuarto de la madrugada, cuando ya no quedaba ni una gota de vino en las damajuanas, Beatriz tomó sus últimas fotografías, apagó la radio, echó a la gente y recogió de apuro todas sus pertenencias.

A las tres en punto, sonó la sirena policial. Beatriz había invadido aquella casona hacía un par de meses, junto a sus muchos hijos y a su más reciente amor, que era fornido y bueno para abrir casas a patadas. Cuando entraron los policías, con orden de desalojo, ya Beatriz había iniciado su nueva peregrinación.

Ella iba por el medio de la calle, tirando de las varas de un carro lleno de niños y de trapos, seguida por su hombre y sus hijos mayores. Iba en busca de otra casa para invadir, y su risa rompía el silencio de la noche de Montevideo.

# La revelación

Un ciudadano recién llegado al mundo estaba durmiendo, desnudo, en la cuna.

La hermana, Ivonne Galeano, lo miró y salió corriendo. Golpeó las puertas de sus vecinas, y con un dedo en los labios las invitó al espectáculo. Ellas abandonaron sus muñecas, a medio vestir, a medio peinar, y en puntas de pie, tomadas de las manos, se asomaron a la cuna del bebé. No se pusieron coloradas de envidia, ni palidecieron por el complejo de castración. Aguantándose la risa, comentaron:

—*¡Mirá lo que se trajo este loco para hacer pipí!*

# El viento

Cuatro años cumplía Diego López y aquella mañana le brincaba en el pecho la alegría, la alegría era una pulga saltando sobre una rana saltando sobre un canguro saltando sobre un resorte, mientras las calles volaban al viento y el viento batía las ventanas. Y Diego abrazó a su abuela Gloria y en secreto, al oído, le ordenó:

—*Vamos a entrar en el viento.*

Y la arrancó de la casa.

# El sol

En algún lugar de Pennsylvania, Anne Merak trabaja como ayudante del sol.

Ella está en el oficio desde que tiene memoria. Al fin de cada noche, Anne alza sus brazos y empuja al sol, para que irrumpa en el cielo; y al fin de cada día, bajando los brazos, acuesta al sol en el horizonte.

Era muy chiquita cuando empezó esta tarea, y jamás ha faltado a su trabajo.

Hace medio siglo, la declararon loca. Desde entonces, Anne ha pasado por varios manicomios, ha sido tratada por numerosos psiquiatras y ha engullido muchísimas pastillas.

Nunca consiguieron curarla.

Menos mal.

# El eclipse

Cuando la luna apaga el sol, los indios kayapó disparan flechas de fuego hacia el cielo, para devolver al sol su luz perdida. Los barí suenan tambores, para que el sol regrese. Los aymaras lloran, y a gritos suplican al sol que no los abandone.

A fines del 94, hubo pánico en Potosí. Cayó la noche en plena mañana y quedó el cielo súbitamente negro y con estrellas. En aquel mundo helado de muerte, mundo del fin del tiempo, lloraron los indios, aullaron los perros, se escondieron los pájaros, y en un santiamén se marchitaron las flores.

Helena Villagra estaba allí. Cuando el eclipse acabó, ella sintió que algo le faltaba en una oreja. Un arete, un solcito de plata, se le había caído. Ella buscó al pequeño sol por los suelos, durante largo rato, aunque sabía que no iba a encontrarlo jamás.

# La noche

Allá en la infancia, Helena se hizo la dormida y se escapó de la cama.

Se vistió de punta en blanco, como si fuera domingo, y con todo sigilo se deslizó hacia el patio y se sentó a descubrir los misterios de la noche de Tucumán.

Sus padres dormían, sus hermanas también.

Ella quería ver cómo crecía la noche, y cómo viajaban la luna y las estrellas. Alguien le había dicho que los astros se mueven, y a veces se caen, y que el cielo va cambiando de color mientras la noche anda.

Aquella noche, noche de la revelación de la noche, Helena miraba sin parpadear. Le dolía el pescuezo, le dolían los ojos, y se estrujaba los párpados y volvía a mirar. Y miró y miró y siguió mirando, y el cielo no cambiaba y la luna y las estrellas continuaban quietas en su sitio.

La despertaron las luces del amanecer. Helena lagrimeó.

Después, se consoló pensando que a la noche no le gusta que le espíen los secretos.

# La luna

La luna madura embaraza la tierra, y hace que el árbol cortado siga vivo en su madera.

La luna llena alborota a los lunáticos, a los alunados, a las mujeres y a la mar.

La luna verde mata las siembras.

La luna amarilla viene con tormenta.

La luna roja trae guerra y peste.

La luna negra, luna ninguna, deja al mundo triste y al cielo mudo.

Cuando Catalina Álvarez Insúa estaba dando sus primeros pasos, alzaba los brazos al cielo sin luna y llamaba:

—¡Luna, vení!

# Población de la luz

Catalina tenía muchos amigos visibles, pero no eran portátiles.

En cambio, los invisibles la acompañaban a todas partes. Ella decía que eran veinte. Más no sabía contar.

Fuera donde fuera, iba con ellos. Los sacaba del bolsillo, los ponía en la palma de la mano y con ellos conversaba.

Después les decía chau, hasta mañana, y los soplaba hacia el sol.

Los invisibles dormían en la luz.

# Morgan

El sol lo atrapa, Morgan huye. Vuela sobre la arena, ondula en el oleaje, y dan ganas de aplaudir esa ráfaga roja.

Pero Morgan se llama así por sus costumbres de pirata, y las víctimas no lo consideran tan admirable. Brincón y ladrón, a Morgan lo persigue el sol y también lo persigue el propietario de una pelota de tenis o sandwich o zapatilla o prenda íntima que él ha usurpado para hundirse en el agua con el botín entre los dientes.

Nunca supo ajuiciarse. Hasta ahora, que se sepa, nunca nadie lo ha visto quieto, ni ha mostrado nunca el menor indicio de cansancio o arrepentimiento.

Morgan ya llevaba cuatro años haciendo perrerías en el mundo, cuando Manuel Monteverde, que tenía la misma edad, se sentó en una roca y reflexionó sobre el asunto:

—*Sí* —dijo—. *Morgan se porta mal. Pero hace reír.*

# Leo

Ricardo Marchini sintió que la hora de la verdad era llegada.

—*Vamos, Leo* —dijo—. *Tenemos que hablar.*

Y se marcharon, calle arriba, los dos. Anduvieron un buen rato por el barrio de Saavedra, dando vueltas, en silencio. Leonardo se atrasaba mucho, como tenía costumbre; y después apuraba el paso para alcanzar a Ricardo, que caminaba con las manos en los bolsillos y el ceño fruncido.

Al llegar a la plaza, Ricardo se sentó. Tragó saliva. Apretó la cara de Leonardo entre las manos y, mirándolo a los ojos, largó el chorro:

—*Mirá Leo perdoná que te lo diga pero vos no sos hijo de papá y mamá y es mejor que lo sepas Leo que a vos te recogieron de la calle.*

Suspiró hondo.

—*Tenía que decírtelo, Leo.*

Leonardo había sido encontrado en la basura, cuando estaba recién nacido, pero Ricardo prefirió ahorrarle esos detalles.

Entonces, regresaron a casa.

Ricardo iba silbando.

Leonardo se detenía al pie de sus árboles preferidos, saludaba a los vecinos meneando el rabo y ladraba a la sombra fugitiva de algún gato.

Los vecinos lo querían porque él era marrón y blanco, como el Platense, el club de fútbol del barrio, que casi nunca ganaba.

# Lord Chichester

En una playa de estacionamiento de las muchas que hay en Buenos Aires, Raquel lo escuchó llorar. Alguien lo había arrojado entre los autos.

Se incorporó a la casa, se llamó Lord Chichester. Tenía poco tiempo de nacido y ya era desteñido y cabezón. Quedó tuerto después, cuando creció y se batió en duelo de amor por la gata Milonga.

Una noche, cuando Raquel y Juan Amaral estaban sumergidos en la más profunda de las dormidumbres, unos feroces chillidos los hicieron saltar de la cama. Chillaba Lord Chichester como si lo estuvieran desollando. Cosa rara, porque él era feo pero callado.

—*Algo le duele mucho* —dijo Juan.

Siguiendo los chillidos, llegaron al fondo del corredor. Raquel aguzó el oído, y opinó:

—*Nos está avisando que hay una gotera.*

Deambularon por la antigua casona, hasta que ubicaron el clip-clop de la gotera en el baño.

—*Ese caño siempre perdió* —dijo Juan.

—*Se va a inundar* —temió Raquel.

Y discutieron, que sí, que no, hasta que Juan miró el reloj, casi las cinco de la mañana, y bostezando suplicó:

—*Vamos a dormir.*

Y sentenció:

—*Lord Chichester está loco de remate.*

Ya estaban por entrar al dormitorio, perseguidos por los chillidos del gato, cuando el techo, viejo y agrietado, se desplomó sobre la cama.

# Pepa

Pepa Lumpen estaba muy averiada por los años. Ya no ladraba; y se caía al caminar. El gato Martinho se acercó y le lamió la cara. Pepa siempre lo ponía en su lugar, gruñendo y mostrándole los dientes; pero ese último día se dejó besar.

Callada quedó la casa, vacía de ella.

En las noches siguientes, Helena soñó que cocinaba en una olla que tenía el fondo roto, y también soñó que Pepa la llamaba por teléfono, furiosa porque la teníamos bajo tierra.

# Pérez

Cuando Mariana Mactas cumplió seis años, algún vecino de Calella de la Costa le regaló un pollito azul.

El pollito no sólo tenía plumas azules, que lanzaban destellos violáceos al sol, sino que además meaba azul y piaba azul. Era un milagro de la naturaleza, quizás ayudada por alguna inyección de anilinas en el huevo.

Mariana lo bautizó con el nombre de Pérez. Fueron amigos. Pasaban horas charlando en la terraza, mientras Pérez caminaba picoteando migas de pan.

Poco duró el pollito. Y cuando llegó a su fin esa breve vida azul, Mariana se sentó en el piso, como para no levantarse nunca. Con la vista clavada en una baldosa, comprobó:

—*Apena el mundo sin Pérez.*

# Gente curiosa

Soledad, de cinco años, hija de Juanita Fernández:

—¿*Por qué los perros no comen postre?*

Vera, de seis años, hija de Elsa Villagra:

—¿*Dónde duerme la noche? ¿Duerme aquí, abajo de la cama?*

Luis, de siete años, hijo de Francisca Bermúdez:

—¿*Se enojará Dios, si no creo en él? Yo no sé cómo decírselo.*

Marcos, de nueve años, hijo de Silvia Awad:

—*Si Dios se hizo solo, ¿cómo pudo hacerse la espalda?*

Carlitos, de cuarenta años, hijo de María Scaglione:

—*Mamá, ¿a qué edad me sacaste la teta? Mi psicóloga quiere saber.*

# Índice de inmortalidad infantil

Cuando Manuel tenía un año y medio, quiso saber por qué no podía agarrar el agua con la mano. Y a los cinco años, quiso saber por qué se muere la gente:

—*Y morir, ¿qué es?*

—*¿Mi abuela se murió porque era viejita? ¿Y por qué se murió un nene más chico que yo, que lo ví ayer en la tele?*

—*¿Los enfermos se mueren? ¿Y por qué se mueren los que no están enfermos?*

—*¿Los muertos se mueren por un rato o se mueren del todo?*

Al menos, Manuel tenía respuesta para la pregunta que más lo mortificaba:

—*Mi hermano Felipe no se va a morir nunca, porque él siempre quiere jugar.*

# Susurros

Luiza Jaguaribe estaba jugando en el jardín de su casa, en las afueras de Passo Fundo. Brincando en un solo pie, iba contando los botones del vestido:

—*Uno, dos, porotos con arroz.*

Contando los botones, adivinaba el marido que el destino le daría. ¿Se casaría con rey o con capitán, con soldado o con rufián?

—*Tres, cuatro, porotos en el plato.*

Pegó una voltereta en el aire, abrió los brazos, cantó:

—*Cinco, seis. ¡Me caso con el rey!*

Y al darse vuelta, chocó con las piernas de su padre y cayó al suelo. El padre, inmenso, alzado contra el sol, dijo:

—*Basta, Luizinha. Se acabó.*

Así, ella supo que el tío Moro ya no estaba más.

Se fue al Cielo, le dijeron. Y le dijeron que tenía que quedarse quieta y callada.

Pasaron unos días, llegaron las fiestas.

Aquella cena de Nochebuena juntó un familión. Luiza descubrió una parentela que jamás había visto, un gentío de ropas de luto.

La tía Gisela se sentó a la cabecera de la mesa interminable. El vestido negro, de cuello alto abotonado, le quedaba lindísimo, era una reina; pero Luiza no se atrevió a comentarlo.

Erguida la cabeza, la mirada perdida en el aire, la tía Gisela no probó bocado ni dijo nada. Hasta que a la medianoche, en pleno bullicio, habló:

—*Dicen que hay que querer a Dios. Yo lo odio.*

Lo dijo suavecito, casi callando. Sólo Luiza la escuchó.

# Malas palabras

Ximena Dahm andaba muy nerviosa, porque aquella mañana iba a iniciar su vida en la escuela. Corriendo iba de un espejo al otro, por toda la casa; y en uno de esos ires y venires, tropezó con un bolso y cayó desparramada al piso. No lloró, pero se enojó:

—*¿Qué hace esta mierda acá?*

La madre educó:

—*Mijita, eso no se dice.*

Y Ximena, desde el piso, quiso saber:

—*¿Para qué existen, mamá, las palabras que no se dicen?*

# Cursos prácticos

Joaquín de Souza está aprendiendo a leer, y practica con los carteles que ve. Y cree que la P es la letra más importante del alfabeto, porque todo empieza con ella:

*Prohibido pasar*
*Prohibido entrar con perros*
*Prohibido arrojar basura*
*Prohibido fumar*
*Prohibido escupir*
*Prohibido estacionar*
*Prohibido fijar carteles*
*Prohibido encender fuego*
*Prohibido hacer ruido*
*Prohibido...*

# Reglas

Chema jugaba con la pelota, la pelota jugaba con Chema, la pelota era un mundo de colores y el mundo volaba, libre y loco, flotaba en el aire, rebotaba donde quería, picaba para aquí, saltaba para allá, de brinco en brinco; pero llegó la madre y mandó a parar.

Maya López atrapó la pelota y la guardó bajo llave. Dijo que Chema era un peligro para los muebles, para la casa, para el barrio y para la ciudad de México y lo obligó a ponerse los zapatos, a sentarse como es debido y a hacer las tareas para la escuela.

—*Las reglas son las reglas* —dijo.

Chema alzó la cabeza:

—*Yo también tengo mis reglas* —dijo. Y dijo que, en su opinión, una buena madre debía obedecer las reglas de su hijo:

—*Que me dejes jugar todo lo que yo quiera, que me dejes andar descalzo, que no me mandes a la escuela ni a nada parecido, que no me obligues a dormir temprano y que cada día nos mudemos de casa.*

Y mirando al techo, como quien no quiere la cosa, agregó:

—*Y que seas mi novia.*

# La buena salud

En alguna parada, un enjambre de muchachos invadió el ómnibus.

Venían cargados de libros y cuadernos y chirimbolos varios; y no paraban de hablar ni de reír. Hablaban todos a la vez, a los gritos, empujándose, zarandeándose, y se reían de todo y de nada.

Un señor increpó a Andrés Bralich, que era uno de los más estrepitosos:

—¿Qué te pasa, nene? ¿Tenés la enfermedad de la risa?

A simple vista se podía comprobar que todos los pasajeros de aquel ómnibus habían sido, ya, sometidos a tratamiento, y estaban completamente curados.

# El maestro

Los alumnos del sexto grado, en una escuela de Montevideo, habían organizado un concurso de novelas.

Todos participaron.

Los jurados éramos tres. El maestro Oscar, puños raídos, sueldo de fakir, más una alumna, representante de los autores, y yo.

En la ceremonia de la premiación, se prohibió la entrada de los padres y demás adultos. Los jurados dimos lectura al acta, que destacaba los méritos de cada uno de los trabajos. El concurso fue ganado por todos, y para cada premiado hubo una ovación, una lluvia de serpentinas y una medallita donada por el joyero del barrio.

Después, el maestro Oscar me dijo:

—*Nos sentimos tan unidos, que me dan ganas de dejarlos a todos repetidores.*

Y una de las alumnas, que había venido a la capital desde un pueblo perdido en el campo, se quedó charlando conmigo. Me dijo que ella, antes, no hablaba ni una palabra, y riendo me explicó que el problema era que ahora no se podía callar. Y me dijo que ella quería al maestro, lo quería muuuuuuuucho, porque él le había enseñado a perder el miedo de equivocarse.

# Los alumnos

Si la maestra les pregunta qué quieren ser cuando sean grandes, ellas callan. Y después, hablando bajito, confiesan: ser más blanca, cantar en la tele, dormir hasta el mediodía, casarme con uno que no me pegue, casarme con uno que tenga auto, irme lejos y que nunca me encuentren.

Y ellos dicen: ser más blanco, ser campeón mundial de fútbol, ser el Hombre Araña y caminar por las paredes, asaltar un banco y no trabajar más, comprarme un restorán y comer siempre, irme lejos y que nunca me encuentren.

No viven a gran distancia de la ciudad de Tucumán, pero ni de vista la conocen. Van a la escuela, a pie o a caballo, un día sí, dos no, salteado, porque se turnan con los hermanos en el uso del único delantal y el par de zapatillas. Y lo que más preguntan a la maestra es: cuándo viene el almuerzo.

# Cóndores

A lomo de mula, a lomo de moto, a lomo de sí mismo, Federico Ocaranza recorre las montañas de Salta. Él anda curando bocas en esas soledades, en esas pobredades. La llegada del dentista, el enemigo del dolor, es una buena noticia; y allá las buenas noticias son pocas, como poco es todo.

Federico juega al fútbol con los niños, que raras veces visitan la escuela. Ellos aprenden lo que saben pastoreando cabras y persiguiendo alguna pelota de trapo entre las nubes.

Entre gol y gol, se divierten burlándose de los cóndores. Se acuestan sobre el suelo de piedra, con los brazos en cruz, y cuando los cóndores se lanzan al ataque, los muertitos pegan el brinco.

# Mano de obra

Mohammed Ashraf no va a la escuela.

Desde que sale el sol hasta que asoma la luna, él corta, recorta, perfora, arma y cose pelotas de fútbol, que salen rodando de la aldea paquistaní de Umar Kot hacia los estadios del mundo.

Mohammed tiene once años. Hace esto desde los cinco.

Si supiera leer, y leer en inglés, podría entender la inscripción que él pega en cada una de sus obras: *Esta pelota no ha sido fabricada por niños.*

# La recompensa

Sin casa y sin rumbo, sin dónde ni adónde, José Antonio Gutiérrez vivió y creció en las calles de la ciudad de Guatemala.

Para esquivar el hambre, robaba. Para esquivar la soledad, aspiraba pegamento y entonces se convertía en estrella de Hollywood.

Un día, se fue. Se fue lejos, al norte, al Paraíso. Esquivando a la policía, colándose en catorce trenes y caminando mil y una noches, consiguió llegar a California. Y allí se metió y se quedó.

Seis años después, en el barrio más miserable de la capital guatemalteca, los golpes en la puerta despertaron a Engracia Gutiérrez. Unos señores de uniforme venían a notificarle que su hermano José Antonio, enrolado en el Cuerpo de Marines, había muerto en Irak.

Aquel niño de la calle había sido la primera baja de las fuerzas invasoras en la guerra del año 2003.

Las autoridades envolvieron su ataúd en la bandera de las barras y las estrellas y le rindieron honores militares. Y lo hicieron ciudadano de los Estados Unidos, que era el premio que le habían prometido.

La televisión, que trasmitió en vivo y en directo la ceremonia, exaltó el heroísmo del valiente soldado que había caído combatiendo contra las tropas iraquíes.

Después se supo que lo había matado *el fuego amigo*, como se llaman las balas que se equivocan de enemigo.

# El caballo

Tarde tras tarde, Paulo Freire se colaba en el cine del barrio de Casa Forte, en Recife, y sin pestañear veía y volvía a ver las películas de Tom Mix.

Las hazañas del *cowboy* de sombrero aludo, que rescataba a las damas indefensas de manos de los malvados, le resultaban bastante entretenidas, pero lo que a Paulo de veras le gustaba era el vuelo de su caballo. De tanto mirarlo y admirarlo, se hizo amigo; y el caballo de Tom Mix lo acompañó, desde entonces, toda la vida.

Mucho anduvo Paulo. Su trabajo de educador revolucionario, hombre que enseñaba aprendiendo, lo llevó por los caminos del mundo. Pero a lo largo de los caminos y los años y los premios y los castigos, ese caballo del color de la luz siguió galopando, sin cansarse nunca, en su memoria y en sus sueños.

Paulo buscaba por todas partes aquellas películas de su infancia:

—¿Tom qué?

Nadie tenía la menor idea.

Hasta que por fin, a los setenta y cuatro años de su edad, encontró las películas en algún lugar de Nueva York. Y volvió a verlas. Fue algo de no creer: el caballo luminoso, su amigo de siempre, no se parecía nada, ni un poquito se parecía, al caballo de Tom Mix.

Cuando sufrió esta revelación, Paulo murmuró:

—*No tiene importancia. Pero tiene.*

# La travesura final

Escuchando o leyendo los cuentos de Monteiro Lobato, los niños del Brasil habían aprendido a ser brasileños y magos. Cuando el escritor murió, ellos fueron sus huérfanos.

Pero los niños no acudieron al cementerio. Dos oradores, adultos, dijeron adiós a Monteiro Lobato. Y cada uno lo reivindicó como militante de su partido: Rossini Camargo Guarnieri despidió al camarada comunista, y Phebus Gicovate habló en homenaje al camarada trotskista.

Apenas terminaron sus discursos fúnebres, los dos se trenzaron en áspero debate. Discutían en plural, como corresponde a los asuntos de la revolución mundial:

—*¡Renegados!*

—*¡Divisionistas!*

—*¡Burócratas!*

—*¡Provocadores!*

—*¡Usurpadores!*

—*¡Traidores!*

—*¡Asesinos!*

Los argumentos iban y venían. El combate ideológico fue subiendo de tono, hasta que los polemistas pasaron a los puños y golpeándose cayeron en la fosa abierta.

Doña Purezinha, la viuda, alzaba los brazos implorando respeto al difunto.

Seguramente ella no sabía que Monteiro Lobato estaba muriéndose de nuevo, pero muriéndose de risa. Era él quien dirigía la trifulca.

# Una botella a la deriva

Aquella mañana, Jorge Pérez perdió el trabajo. No recibió ninguna explicación, no hubo anestesia: de buenas a primeras, en un santiamén, fue echado de su empleo de muchos años en la refinería de petróleo.

Se echó a caminar. Caminó sin saber por qué, sin saber adónde, obedeciendo a sus piernas, que estaban más vivas que él. A la hora en que nada ni nadie hacen sombra en el mundo, las piernas lo fueron llevando a lo largo de la costa sur de Puerto Rosales.

En un recodo, vio una botella. Presa entre los juncos, la botella estaba cerrada con tapón y lacre. Parecía un regalo de Dios, para consuelo de su desdicha, pero Jorge la limpió de barro y descubrió que no estaba llena de vino, sino de papeles.

La dejó caer y siguió caminando.

A poco andar, volvió sobre sus pasos.

Rompió el pico de la botella contra una piedra y adentro encontró unos dibujos, algo borroneados por el agua que se había filtrado. Eran dibujos de soles y gaviotas, soles que volaban, gaviotas que brillaban. También había una carta, que había venido desde lejos, navegando por la mar, y estaba dirigida a quien encuentre este mensaje:

*Hola, soy Martín.*

*Yo tengo ocho anios.*

*A mí me gustan los nioqis, los huebos fritos y el color berde.*

*A mí me gusta dibujar.*

*Yo busco un amigo por los caminos del agua.*

# Los caminos del agua

Le cayó muy simpático. Caetano no lo conocía. El muchacho, que andaba por la playa vendiendo cangrejos, lo invitó a dar una vuelta en su barca.

—*Me gustaría* —dijo Caetano—, *pero no puedo. Tengo cosas que hacer. Compras, trámites...*

Fueron. En barca fueron al mercado y al banco y al correo y a otros lugares. A lo largo de la costa, desde las orillas, penetraron la ciudad; y por el puro gusto de mirarla, se demoraban flotando en la mar serena.

Y así ocurrió el segundo descubrimiento de San Salvador de Bahía. Una ciudad era la ciudad caminada, ese barullo que jamás se queda quieto, y muy otra era la ciudad navegada. Caetano Veloso nunca la había andado así, desde lo mojado, desde lo callado.

A la caída de la tarde, la barca devolvió a Caetano a la playa donde lo había recogido. Y entonces, él quiso saber cómo se llamaba ese muchacho que le había revelado la otra ciudad que la ciudad era. Y de pie sobre la barca, el cuerpo negro brillando a la luz del último sol, el muchacho dijo su nombre:

—*Yo me llamo Marco Polo. Marco Polo Mendes Pereira.*

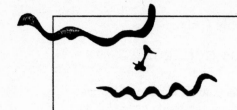

# El agua

Al principio de los tiempos, la hormiga no tenía la cintura finita.

Lo dice el Génesis, según la versión que anda de boca en boca en la costa colombiana del Pacífico: la hormiga era redonda y estaba toda llena de agua.

Pero Dios se había olvidado de mojar el mundo. Cuando se dio cuenta de su distracción, le pidió ayuda. Y la hormiga se negó.

Entonces, los dedos de Dios le estrujaron la panza.

Y así nacieron los siete mares y todos los ríos.

# Los dueños del agua

Hay empresas que son como esa hormiga, pero mucho más grandes.

Al fin del siglo veinte, la guerra del agua estalló en Cochabamba.

Cuando la empresa estadounidense Bechtel triplicó la tarifa de un día para el otro, las comunidades indígenas marcharon desde los valles y bloquearon Cochabamba, y también la ciudad se rebeló y se alzaron barricadas y ardieron las facturas del agua, en una gran hoguera, en la Plaza de Armas.

El gobierno de Bolivia contestó a balazos, como es habitual. Hubo estado de sitio, muertos y presos, pero la pueblada continuó, imparable, día tras día, noche tras noche, durante dos meses, hasta que en la embestida final los cochabambinos desprivatizaron el agua y recuperaron el riego de sus cuerpos y de sus sembradíos.

En la ciudad de La Paz, en cambio, las protestas no impidieron que se adueñara del agua la empresa francesa Suez. La tarifa se fue a las nubes, y casi nadie pudo pagar la cuenta. Por qué será, se preguntaron los expertos europeos y los gobernantes nacionales. Estaba claro: por atraso cultural. Los bolivianos pobres, que son casi todos, ignoran que deben bañarse una vez al día, como es costumbre en Europa desde hace quince minutos, y también ignoran que deben lavar el auto que no tienen.

# Marcas

Un gesto de rechazo ante los vasos de agua común y corriente, y de inmediato el *sommelier* apareció en la mesa y leyó en voz alta la larga lista de aguas embotelladas.

Los clientes probaron algunas marcas desconocidas en California, a unos siete dólares cada botella.

Bebieron varias, mientras comían. Muy buena les pareció el agua *Amazonas*, de la selva brasileña, y excelentes las marcas españolas de los Pirineos, pero la mejor fue la francesa *Eau du Robinet*.

Del *robinet*, del grifo, venían todas. Las botellas, etiquetadas por alguna imprenta cómplice, habían sido llenadas en la cocina.

Este almuerzo fue filmado, con cámara escondida, en un caro y prestigioso restorán de Los Ángeles. Y se exhibió en televisión, en el show de Penn & Teller.

# La fuente

En el siglo doce, cuando el agua era gratuita como el aire y no existían las marcas, el Papa y la mosca se encontraron al pie de una fuente.

El Papa Adriano IV, único pontífice inglés de toda la historia del Vaticano, había ·vivido una vida muy agitada por sus guerras incesantes contra Guillermo el Malo y Federico Barbarroja. De la vida de la mosca, no se conocen acontecimientos dignos de mención.

Por milagro divino o fatalidad del destino, sus caminos se cruzaron en la fuente de agua de la plaza del pueblo de Agnani, un mediodía del verano del año 1159.

Cuando el Santo Padre, sediento, abrió la boca para recibir el chorro, el díptero insecto se le metió en la garganta. La mosca se introdujo por error en ese lugar que no era para nada interesante, pero sus alas no pudieron salir y los dedos del Papa no pudieron sacarla.

En la batalla, perecieron los dos. El Papa, atragantado, murió de mosca. La mosca, prisionera, murió de Papa.

# El lago

Holden Caulfield estaba escuchando los reproches de su profesor del curso de Historia. Para escapar de tan atroz letanía, pensaba en los patos del Central Park de Nueva York. ¿Adónde se iban los patos en invierno, cuando el lago se cubría de hielo? El asunto le interesaba mucho más que los egipcios y sus momias.

Lo había contado Salinger, en una famosa novela.

Unos cuantos años después, Adolfo Gilly, paseando sin rumbo, llegó al lago del Central Park. No había hielo. Era un mediodía de otoño, y un profesor estaba leyendo esas páginas de Salinger, en voz alta, a sus alumnos.

Los muchachos escuchaban, sentados en rueda.

Entonces, una escuadra de patos se acercó nadando a toda velocidad. Los patos se quedaron allí, pegados a la orilla, mientras el profesor leía las palabras que hablaban de ellos.

Después, el profesor se fue, seguido por sus alumnos. Y se fueron, también, los patos.

# El río

Hace tres siglos, el río huyó de los franceses. Después, tampoco los ingleses pudieron atraparlo. Él nunca estaba donde los mapas decían que estaba. Algún colono dibujaba su curso algún día, y en la noche de ese día el río se escapaba y se echaba a correr por otros rumbos.

En 1830, fue cazado. La ciudad de Chicago creció clavada a sus orillas, para que nunca más huyera. Y al fin del siglo diecinueve, la ciudad completó la civilización del salvaje obligándolo a fluir al revés y encerrándolo entre altos muros de cemento.

Una mañana de la primavera de 1992, cuando ya el río llevaba mucho tiempo de buena conducta, la ciudad amaneció con los pies mojados. Fue una fea manera de despertar. Traspiraba el metro, traspiraban los sótanos. El río domado se había desatado y no había manera de pararlo: brotaba por los poros de las paredes, en gotas primero y después a chorros, hasta que embistió la ciudad y le inundó las calles.

Al cabo de unos días de combate, el rebelde fue vencido.

Desde entonces, la ciudad duerme con un solo ojo.

## Voces

Pedro Saad caminó sobre las aguas del río Volga, que el invierno había congelado. Fue en el centro de Rusia, una tarde de mucho frío. Él estaba solo, pero acompañado: mientras andaba iba sintiendo, a través de las gruesas suelas de las botas, la vibración del río que estaba vivo bajo el hielo.

# La inundación

Las calles eran obras de florería; las iglesias, delicias de confitería; los palacios, regalos de juguetería.

Pero la bella Antigua, la capital de Guatemala, vivía con el corazón en la boca, entre los vómitos y los sacudones de la tierra enojada. Los volcanes la condenaban a zozobra perpetua. Lo que no gastaba en lágrimas, se le iba en suspiros.

En 1773, la tierra corcoveó como nunca. Y lo peor fue que el río se salió de cauce y ahogó a las gentes y a las casas. Y los que sobrevivieron a la inundación no tuvieron más remedio que huir a la disparada para fundar, lejos, otra ciudad.

El río que se desbordó se llamaba, se llama, Pensativo.

# Caracoles

Pedimos ayuda a los dioses, a los diablos y a las estrellas del cielo. A los caracoles, nadie pide.

Pero gracias a los caracoles no mueren ahogados los indios shipibos, cada vez que el río Ucayali se pone de mal humor y sus aguas alborotadas invaden la tierra y atropellan cuanta cosa encuentran.

Los caracoles avisan. Antes de cada calamidad, dejan sus huevos pegados a los troncos de los árboles, bastante arriba de la altura adonde llegará la creciente. Y jamás se equivocan en el cálculo.

# El diluvio

Harto de tanta desobediencia y pecado, Dios había decidido borrar de la faz de la tierra toda la carne creada por su mano. Iban a ser exterminadas las gentes y las bestias y las sierpes y hasta las aves del cielo.

Cuando el sabio Johannes Stoeffler dio a conocer la fecha exacta del segundo diluvio universal, que iba a sepultar a todos bajo las aguas el día 4 de febrero de 1524, el conde von Igleheim se encogió de hombros. Pero entonces ocurrió que Dios en persona se le apareció en sueños, barba de relámpagos, voz de trueno, y le anunció:

—*Morirás ahogado.*

El conde von Igleheim, que era capaz de repetir la Biblia entera de memoria, saltó del lecho y mandó llamar de urgencia a los mejores carpinteros de la región. Y en un santiamén apareció en las aguas del río Rin una inmensa arca flotante, alta de tres pisos, hecha de maderas resinosas y calafateada por dentro y por fuera. Y el conde se metió en ella, con su familia y toda su servidumbre y víveres en abundancia, y llevó al arca una pareja de macho y hembra de cada especie de todos los bichos que poblaban la tierra y el aire. Y esperó.

Cayó lluvia en el día señalado. No mucha, fue más bien lloviznita; pero las primeras gotas bastaron para desatar el pánico y una multitud enloquecida invadió los muelles y se apoderó del arca.

El conde opuso resistencia y fue arrojado a las aguas del río, donde ahogado murió.

# Redes

En las arenas de la barra de Guaratiba, suenan las carcajadas de las gaviotas. Las barcas están descargando peces y sucedidos.

Uno de los pescadores, Claudionor da Silva, se estruja
la cabeza, y arrepentido gime. Había atrapado un pargo de
buen tamaño, pero el pez señaló hacia atrás con una aleta,
y dijo: "Ahí viene otro, mucho más grande que yo". Y él le
creyó, y lo dejó escapar.

Jorge Antunes muestra su ropa nueva: llevaba varios
días perdido en la mar, y un oleaje violento lo dejó desnudo y se llevó su bidón de agua dulce. Ya se había resigna-
do a morir de sol y de sed, cuando la red le trajo un tiburón
que tenía, en la barriga, una lata de Coca-Cola bien fría y
un sombrero, un pantalón y una camisa sin estrenar.

Reinaldo Alves ríe con todos sus dientes postizos. No es
por despreciar, dice, pero buena fortuna, lo que se dice
buena fortuna, tuvo él. En plena navegación, perdió su
dentadura. Estornudó y la dentadura voló al agua. Se zam-
bulló, la buscó, no la encontró. Y un par de días después,
tuvo la suerte de pescar el lenguado que la estaba usando.

# Camarones

A la hora de los adioses del día, los pescadores preparan sus atarrayas en las costas del golfo de California.

Cuando el sol, el viejo mago, echa su fogonazo final, ya las canoas se deslizan entre los islotes de la costa. Allí, esperan la luna.

Durante el día, los camarones han estado escondidos en el fondo de las aguas, bien pegados al barro o a la arena. Apenas la luna se deja ver en el cielo, los camarones suben. La luz de la luna los llama, y allá van. Entonces los pescadores arrojan las redes, plegadas al hombro, y las redes se abren como alas en el aire y en la caída los atrapan.

Así, viajando hacia la luna, los camarones encuentran su perdición.

Nadie diría, al verlos, que estos bichos barbones tienen tanta tendencia a la poesía, con lo feítos que son; pero cualquier boca humana, al saborearlos, da fe.

# La maldición

Nació llamándose Langland. Era una nave de tres palos y casco de hierro, que llevaba a Europa salitre de Chile y guano de Perú.

Cuando cumplió veinte años, pasó a llamarse María Madre; y ahí empezó la mala suerte. Ella siguió cumpliendo sus travesías de la mar, pero la desgracia la perseguía, y andaba de mal en peor.

A principios de siglo, ya dolida de muchas averías, la nave quedó atrapada en el puerto de Paysandú, y allí estuvo prisionera, durante cuarenta años, por no sé qué enmarañado pleito por algún contrato no cumplido.

En 1942, fue reflotada. Y nuevamente cambió de nombre. Llamándose Clara, volvió a la mar. Zarpó con un cargamento de mil toneladas de sal.

A poco andar, cuando Clara estaba saliendo del río de la Plata, una nube gigante, en forma de cigarro, se elevó desde el horizonte. Mala señal: el viento pampero embistió la nave, la rompió en pedazos y arrojó a tierra sus despojos. Clara cayó muerta en la playa Las Delicias, a los pies de una casa. Ésa era la casa de veraneo de Lorenzo Marcenaro, el hombre que la había bautizado por tercera vez, allá en el dique de Paysandú.

Desde entonces, ninguna nave se atreve a cambiar de nombre en estas aguas del sur. La mar es libre; pero sus hijas no.

## La mar

Rafael Alberti ya llevaba casi un siglo en el mundo, pero estaba contemplando la bahía de Cádiz como si fuera la primera vez.

Desde una terraza, echado al sol, perseguía el vuelo sin apuro de las gaviotas y de los veleros, la brisa azul, el ir y venir de la espuma en el agua y en el aire.

Y se volvió hacia Marcos Ana, que callaba a su lado, y apretándole el brazo dijo, como si nunca lo hubiera sabido, como si recién se enterara:

—*Qué corta es la vida.*

# El castigo

Reina y señora fue la ciudad de Cartago, en las costas del África. Sus guerreros llegaron a las puertas de Roma, la rival, la enemiga, y a punto estuvieron de aplastarla bajo las patas de sus caballos y sus elefantes.

Unos años después, Roma se vengó. Cartago fue obligada a entregar todas sus armas y sus naves de guerra, y aceptó la humillación del vasallaje y el pago de tributos. Todo aceptó Cartago, inclinando la cabeza. Pero cuando Roma mandó que los cartagineses abandonaran la mar y se marcharan a vivir tierra adentro, lejos de la costa, porque la mar era la causa de su arrogancia y de su peligrosa locura, ellos se negaron a irse: eso sí que no, eso sí que nunca. Y Roma maldijo a Cartago, y la condenó al exterminio. Y allá marcharon las legiones.

Cercada por tierra y por agua, la ciudad resistió tres años. Ya no quedaba agujero por raspar en los graneros, y habían sido devorados hasta los monos sagrados de los templos: olvidada por sus dioses, habitada por espectros, Cartago cayó. Seis días y seis noches duró el incendio. Después, los legionarios romanos barrieron las cenizas humeantes y regaron la tierra con sal, para que nunca más creciera allí nada ni nadie.

La ciudad de Cartagena, en las costas de España, es hija de aquella Cartago. Y es nieta de Cartago la ciudad de Cartagena de Indias, que mucho después nació en las costas de América. Una noche, charlando bajito, Cartagena de Indias me confió su secreto: me dijo que si alguna vez la obligaran a irse lejos de la mar, también ella elegiría morir, como murió la abuela.

# Otro castigo

No sólo por pena de exilio pierden sus mares los pueblos marineros.

Un día sí, y otro también, la marea negra, pegajosa y mortal, ataca las aguas y sus orillas. A fines del año 2002, un buque petrolero, partido por la mitad, vomitó su veneno sobre Galicia y más allá.

Las costas, negras de petróleo, se llenaron de cruces. Los peces muertos y las aves muertas flotaban en la podredumbre de las aguas.

¿El estado? Ciego. ¿El gobierno? Sordo.

Pero los pescadores, barcas ancladas, redes enrolladas, no estaban solos.

Miles y miles de voluntarios enfrentaron, con ellos, la invasión enemiga. Armados de palas y tachos y lo que pudieron encontrar, fueron desnudando trabajosamente, día tras día, semana tras semana, las arenas y las rocas que el petróleo había vestido de luto.

Esas muchas manos, ¿estaban mudas? Ellas no pronunciaban discursos de teatro. Haciendo decían, en gallego: *Nunca máis.*

# Lluviazón

El cielo se partió, se abrió de un tajo, y volcó toda el agua que tenía. Llovió como si el cielo quisiera vaciarse para siempre; y toda la lluvia cayó sobre la mar.

A través de las aguas que se extendían, alborotadas, de horizonte a horizonte, navegaba un buque de guerra. Tumbado en cubierta, con las manos bajo la nuca, un joven soldado se dejaba empapar. Y se hacía preguntas.

Aunque estaba cumpliendo el servicio militar, lo suyo era la ciencia. Él nunca había visto llover en alta mar, y estaba buscando explicación para semejante disparate. Como buen científico, ese soldadito creía, o quería creer, que a veces la naturaleza se hace la loca, simula demencia, pero ella siempre sabe lo que hace.

Isaac Asimov pasó horas y horas allí tendido, acribillado por la fusilería del cielo, y no encontró ninguna respuesta. ¿Por qué la naturaleza echa agua a la mar, que tiene agua de sobra, habiendo en el mundo tantas tierras muertas de sed, que a las nubes imploran un favorcito?

# La sequía

Lamin Sennah y sus hermanos habían dejado de jugar. Desde que la sequía empezó, estaban dedicados a escarbar, en vano, la tierra bombardeada por el sol.

La madre desnudó sus orejas y su cuello, vendió sus aros y sus collares, y después fue vendiendo sus ropas y las cosas de la casa.

En el centro de la casa sin nada, ella encendía el fuego, cada día, para lo poquito que nadaba en la olla.

Comieron los últimos granos.

La madre seguía encendiendo el fuego, para que los vecinos vieran el humo.

Largo estado de sitio: cercados por la sequía, Lamin y sus hermanos pasaban las noches con los ojos abiertos y pasaban los días bostezando sin parar y temblando como si hiciera frío. Sentados alrededor del fuego, los brazos escuálidos sobre las rodillas, ya ni siquiera suplicaban lluvia al cielo.

Entonces la madre se fue y regresó sin la cucharita de plata que ella guardaba, escondida, bajo el piso.

La cucharita, su secreto tesoro, su única herencia, había sido de los abuelos de sus abuelos, mucho antes de que Gambia, su país, fuera un país.

Esa última venta les dio algún bocado que comer.

—*Pero ella se apagó* —cuenta Lamin.

La madre ya no pudo levantarse más. Ya no hubo fuego en el centro de la casa.

# El desierto

Cuando el mundo estaba empezando a ser mundo, Tunupa, la montaña, perdió a su hijo, y ella vengó la muerte regando sobre la tierra la leche agria de sus pechos. La estepa andina, inundada, se convirtió en un infinito desierto de sal.

El salar de Uyuni, nacido de aquel rencor, traga a los caminantes; pero Román Morales se lanzó a atravesarlo, desde las orillas donde las llamas y las vicuñas detienen su paso.

A poco andar perdió de vista las últimas señales del mundo.

Pasaron las horas, los días, las noches, mientras crujían los cristales de sal bajo sus botas.

Quería volver, pero no sabía cómo, y quería seguir, pero no sabía adónde. Por mucho que se restregara los ojos, no conseguía encontrar ningún horizonte. Ciego de luz blanca, caminaba sin ver más que la blanca nada del fulgor de la sal.

Cada paso dolía.

Román había perdido la cuenta del tiempo.

Varias veces se desplomó. Y varias veces fue despertado a patadas por el hielo de la noche o por el fuego del día, y se alzó y siguió caminando, con piernas que no eran sus piernas.

Cuando lo encontraron, tumbado cerca de la aldea de Altucha, hacía rato que la sal había devorado sus botas a mordiscones y no quedaba ni una gota de agua en las cantimploras.

Resucitó de a poco. Y cuando se convenció de que no estaba en el cielo, ni en el infierno, Román se preguntó: *¿Quién habrá cruzado ese desierto?*

# El campesino

Angelo Giuseppe Roncalli, nacido y crecido en huerta pobre, no lloraba de emoción cuando evocaba su infancia campesina:

—*Los hombres* —decía— *tienen tres maneras de arruinarse la vida: las mujeres, los juegos de azar y la agricultura. Mi padre eligió la más aburrida.*

Pero él subía, cada día, a la Torre del Viento, la torre más alta del Vaticano, y allí se sentaba a mirar. Catalejo en mano, echaba una rápida ojeada sobre las calles y después buscaba las siete colinas de las afueras de Roma, donde la tierra es tierra todavía. Y en la contemplación del lejano verderío pasaba las horas, hasta que el deber lo obligaba a interrumpir la comunión.

Entonces, Angelo se ponía el manto blanco, con su lapicera y su cruz al pecho, las únicas propiedades que tenía en este mundo, y regresaba al trono donde volvía a ser el papa Juan XXIII.

# Parientes

En 1992, mientras se celebraban los cinco siglos de algo así como la salvación de las Américas, un sacerdote católico llegó a una comunidad metida en las hondonadas del sureste mexicano.

Antes de la misa, fue la confesión. En lengua tojolobal, los indios contaron sus pecados. Carlos Lenkersdorf hizo lo que pudo traduciendo las confesiones, una tras otra, aunque él bien sabía que es imposible traducir esos misterios:

—*Dice que ha abandonado al maíz* —tradujo Carlos—. *Dice que muy triste está la milpa. Muchos días sin ir.*

—*Dice que ha maltratado al fuego. Ha aporreado la lumbre, porque no ardía bien.*

—*Dice que ha profanado el sendero, que lo anduvo macheteando sin razón.*

—*Dice que ha lastimado al buey.*

—*Dice que ha volteado un árbol y no le ha dicho por qué.*

El sacerdote no supo qué hacer con esos pecados, que no figuran en el catálogo de Moisés.

# Familia

Jerónimo, el abuelo de José Saramago, no tenía letras, pero era sabido; y callaba lo que sabía.

Cuando se enfermó, supo que había llegado su hora. Y calladamente caminó por el huerto, deteniéndose de árbol en árbol, y uno por uno los abrazó. Abrazó a la higuera, al laurel, al granado y a los tres o cuatro olivos.

En el camino, un automóvil esperaba.

El automóvil se lo llevó hacia Lisboa, hacia la muerte.

# La ofrenda

Enrique Castañares cumplió años, y hubo fiesta.

Manuela Godoy no recibió convite; pero la llamaron las guitarras.

Ella no era de arrimarse. No se daba con nadie. Sin nadie, para nadie, había vivido y bebido sus años, nadie sabía cuántos, siempre encerrada en su ranchito de las afueras del pueblo de Robles. Se sabía que era tan pobre que ni pulgas tenía, y tan sola era que dormía abrazada a una botella.

Pero aquella noche, la noche de la fiesta, Manuela anduvo dando vueltas alrededor de la casa de los Castañares, curioseando por las ventanas, hasta que le ofrecieron entrar y se sumó al bailongo.

Bailó sin parar, hasta cansarlos a todos, y se tomó todo el vino.

Fue la última en irse. Le envolvieron unas tiras de asado y unas cuantas empanadas; y con esa carga en la espalda se marchó, al fin de la noche. Haciendo eses se metió en el maizal, y desapareció.

A la mañana siguiente, cuando Enrique, el cumpleañero, se asomó a la puerta, ella estaba allí. Esperando.

—*¿Qué se le ha perdido, doña Manuela?*

Ella negó con la cabeza. En sus manos, como en un cáliz, resplandecía un zapallito. Era el primer zapallito de su cosecha particular.

—*Es todo suyo* —dijo.

# Las uvas

No eran estallidos de celebración, eran ruidos de guerra.

La metralla y las bombas aturdían el cielo de Zagreb, atravesado por las balas trazadoras.

Moría el año viejo y Yugoslavia moría, mientras Fran Sevilla terminaba de trasmitir a Madrid, a Radio Nacional, su última crónica del año.

Fran colgó el teléfono y miró el reloj, a la luz de un encendedor. Tragó saliva. Él estaba solo, en un hotel vacío, sin más compañía que los alaridos de las sirenas y los truenos del bombardeo, y faltaban pocos minutos para que naciera el año nuevo. Los fogonazos de la guerra, que se metían por la ventana, eran la única luz de la habitación.

Recostado en la cama, Fran arrancó doce uvas de un racimo. Y a la medianoche en punto, las comió.

Mientras comía las uvas, una tras otra, iba dando doce golpecitos, con un tenedor, en una botella de buen vino Rioja que se había traído de España.

Eso de los golpecitos en la botella lo había aprendido de su padre, cuando Fran era niño y vivía en las orillas de Madrid, en un barrio que no tenía campanas.

# El vino

Lucila Escudero no se daba por enterada de su edad.

Ya había enterrado a siete hijos y seguía mirando el mundo con ojos de recién llegada. Deambulaba por los tres patios de su casa de Santiago de Chile, tres selvitas que ella regaba cada día; y después de charlar con sus plantas, se marchaba a caminar por las calles del vecindario, sorda a sus penas y a sus achaques y a todas las tristes voces del tiempo.

Lucila creía en el Paraíso, y sabía que se lo merecía, pero se sentía mucho mejor en casa. Para despistar a la muerte, dormía cada noche en un lugar diferente. Nunca le faltaba algún tataranieto para ayudarla a correr la cama, y de oreja a oreja sonreía pensando en el chasco que se llevaría la Parca cuando viniera a buscarla.

Entonces, encendía el último cigarrillo del día, en su larga boquilla labrada, llenaba una copa de tinto del valle del Maipo y entraba en el sueño bebiendo el vino de a sorbitos, un buche por cada amén, mientras rezaba los padrenuestros y las avemarías.

# La vinería

Se llamaba *Las telitas*, por las telarañas que la araña Ramona tejía en el techo, sin descanso, dando ejemplo de laboriosidad a los vecinos del puerto de Montevideo.

Era verdulería durante el día y vinería en la noche. Bajo las estrellas, los nocheros bebíamos y cantábamos y charlábamos.

Las deudas se anotaban en una pared, detrás del mostrador.

—*Esa pared se cae de sucia* —comentaban los clientes, como al pasar, entre trago y trago.

Los hermanos D´Alessandro, el Lito y el Rafa, el gordo y el flaco, se hacían los sordos, hasta que ya no tenían dónde anotar más numeritos.

Entonces ocurría la Noche del Perdón, y la cal blanqueaba las cuentas.

Los clientes viejos celebraban el acontecimiento, y los clientes nuevos eran bautizados con un toquecito de vino en la frente.

# La cerveza

Este elixir conduce a la perdición. A la perdición de los caracoles.

Cuando oscurece, ellos salen de sus escondrijos y a ritmo de caracol avanzan dispuestos a devorar la carne verde de las plantas.

En medio de la huerta, un vaso de cerveza monta guardia. Es una tentación irresistible. Llamados por el aroma, los caracoles trepan a lo alto del vaso. Desde el filo del abismo, se asoman a la sabrosa espuma y cuesta abajo resbalan, dejándose caer. Y en la mar de cerveza, borrachitos, felices, se ahogan.

# La fruta prohibida

Dámaso Rodríguez tenía vacas, pero no tenía pasto. Las vacas andaban por todas partes, deambulaban por aquí, por allá; y al menor descuido del dueño, se metían en el pueblo de Ureña y rumbeaban al parque de su tentación.

Ellas iban derechito al gran mangal del parque. Allí estaban las matas hinchadas, rebosantes, y había una alfombra de mangos regados por los suelos.

Los policías interrumpían el banquete. Arreaban las vacas a palos y las encerraban en los calabozos.

Dámaso pasaba horas en la comisaría, soportaba el plantón y el sermón, hasta que por fin pagaba la multa y liberaba sus vacas.

Aura, la hija, lo acompañaba a veces. Volvía lagrimeando, mientras el padre le explicaba que la autoridad sabía lo que hacía. Aunque los mangos fueran muchos, y se secaran tirados por ahí, los animales no merecían semejante sabrosura. Las vacas no eran dignas de ese dorado manjar de jugo espeso, reservado a los hombres para consuelo del vivir.

—*No llore, hijita. La autoridá es autoridá, las vacas son vacas y los hombres somos hombres* —decía Dámaso.

Y Aura, que no era autoridá, ni vaca, ni hombre, le apretaba la mano.

# El pecado de la carne

Él hizo el conteo, como era costumbre. Sus hombres no sabían sumar, o sumaban mintiendo. Repitió la operación, confirmó: le faltaba un ternero.

Atrapó al peón sospechoso, lo amarró a una cuerda, montó a caballo y de a rastras se lo llevó lejos.

Desollado por los pedregales, el peón llegó más muerto que vivo, pero don Carmen Itriago se tomó su tiempo y lo estaqueó con esmero. Clavó las horquetas, una por una, y a cada horqueta ató, con tientos húmedos, las manos, los pies, la cintura y el pescuezo del condenado.

Los restos del peón lloraban:

—*Yo le pago el ternero, don Carmen. Le doy lo que sea. La vida le doy.*

—*Por fin encuentro a alguien que está de acuerdo conmigo* —dijo el patrón, desde lo alto del caballo, y se alejó trotando en el polvo.

Testigos no hubo, más que el caballo, que ya es muerto. Del peón, comido por las hormigas y los soles, no se guardó ni el nombre: sólo quedaron los huesos, con los brazos en cruz, sobre la tierra roja. Y don Carmen no era hombre de andar hablando de estas cuestiones, porque la propiedad privada forma parte de la vida privada, y la vida privada es cosa de uno.

Sin embargo, Alfredo Armas Alfonzo lo contó. Él estuvo sin estar, y vio sin ver, como vio cuanta cosa ocurrió, desde que el mundo es mundo, en el vasto valle que el río Unare parte por la mitad.

# Carne de caza

Arnaldo Bueso cumplía quince años.

Sus mayores le festejaron el cumpleaños con una gran cacería en el bosque, a orillas del río Ajagual. Por ser su primera vez, le asignaron un puesto en la retaguardia. Lo dejaron en algún lugar de la espesa arboleda, con instrucciones de no moverse de allí. Y allí se quedó, mirando al rifle 22 que lo miraba, mientras los cazadores soltaban sus perros y lanzaban al galope sus caballos.

Se alejaron los ladridos, se desvanecieron los ruidos.

El rifle colgaba de una larga correa atada a la rama de un árbol.

Arnaldo no se atrevía a tocarlo. Acostado, con las manos en la nuca, se distraía contemplando al pajarerío que revoloteaba en la fronda. La espera fue larga. Arrullado por los pájaros, se durmió.

Lo despertó el estrépito del follaje roto. Quedó paralítico del susto. Alcanzó a ver que un enorme venado se le venía encima, en estampida: el venado saltó, se enredó con la correa del fusil y Arnaldo escuchó un balazo. El animal cayó fulminado.

Todo el pueblo de Santa Rosa de Copán celebró la hazaña. Era algo jamás visto: un certero disparo desde abajo, en pleno salto, directo al corazón.

Unos cuantos años después, en su casa, Arnaldo interrumpió una animada rueda de ron con sus amigos. Pidió silencio, como para iniciar un discurso. Señaló la enorme cornamenta que daba fe de la primera y última gloria de su vida de cazador, y confesó:

—*Fue suicidio.*

# Carne de agravio

Un hombre solo, prisionero del deseo, caminaba en la intemperie. Las suaves colinas del campo, no lejos de Montevideo, se hinchaban en perturbadoras curvas de pechugas o muslos. Paco miraba a lo alto, queriendo fugarse de la tentación carnal, pero también el cielo negaba paz a sus ojos: allá arriba las nubes se movían de a pasitos, se hamacaban, se ofrecían.

La hermana de Paco, Victoria, dueña de la chacra, le había advertido:

—No. Guiso de gallina, no. Las gallinas no se tocan.

Pero Paco Espínola había estudiado a los griegos, y algo sabía de estas cosas del destino. Sus piernas caminaron hacia el territorio prohibido y él, obediente a las voces de la fatalidad, se dejó llevar.

Largo rato después, Victoria lo vio venir. A paso lento, Paco traía un bulto que se balanceaba, colgado de una mano. Cuando Victoria se dio cuenta de que el bulto era una gallina difunta, le salió al cruce, hecha una furia.

Paco exigió silencio. Y contó la verdad.

Él había entrado al galpón, en busca de sombra, cuando vio una gallina de plumaje colorado. Le echó un puñado de granos de maíz, y la gallina se sirvió y dijo: "Muchas gracias".

Entonces, se acercó una gallina del color de la nieve, que también era bien educada y comió y agradeció.

—Pero después vino ésta —contó Paco, revoleando a la degollada—. Yo le ofrecí unos granitos. Ni los tocó. "¿Tú no comes, querida?", le pregunté. Y ella alzó la cresta y me dijo: "Andate a la puta madre que te parió". ¿Te das cuenta, Victoria? ¡Nuestra madre, Victoria, nuestra madre!

# La dieta

Sarah Tarler Bergholz era muy bajita. Ella no tenía que sentarse para que sus nietos le cepillaran la melena, que en caracoles caía desde la cara simpática hasta el ombligo.

Sarah estaba tan gorda que ya ni podía respirar. En un hospital de Chicago, el médico le dijo lo que era evidente: para recuperar la proporción entre la estatura y el volumen, debía hacer una dieta rigurosa y eliminar las grasas.

Ella tenía voz de seda. Sus más enérgicas afirmaciones parecían confidencias. Hablando como en secreto, miró fijo al médico, y dijo:

—*Yo no estoy segura de que la vida valga la pena sin salame.*

Murió, abrazada a su perdición, el año siguiente. Le falló el corazón. Para la ciencia, el caso estaba claro; pero nunca se sabrá si el corazón estaba harto de salame, o cansado de darse.

# La comida

La tía de Nicolasa le había enseñado a caminar y a cocinar.

Al pie del fogón, la tía le había revelado los secretos de los manjares que, por herencia o invención, nacían de su mano. Así Nicolasa creció descubriendo los antiguos misterios de la mesa mexicana, y también aprendió a celebrar asombrosos matrimonios entre sabores y picores que nunca antes habían tenido el gusto de conocerse.

Al tiempito de morir la tía, llegaron quejas del camposanto. Los difuntos no podían dormir, por el ruido que metía su sepultura. Ella no iba a descansar en paz, hasta que no se cocinaran sus recetas.

Nicolasa no tuvo más remedio que fundar una cantina. Allí ofrece comidas que mucho deleite darían a los dioses, si ellos no tuvieran la desgracia de vivir tan lejos.

# Naturaleza viva

Alfredo Mires Ortiz quería recoger la memoria de las costumbres y los tiempos en Cajamarca. Los lugareños le sugirieron algunos temas de trabajo:
el eclipse,
la lluvia,
la inundación,
la niebla,
la helada,
el ventarrón,
el remolino.
Alfredo asintió:
—*Ah, sí* —dijo—. *Fenómenos naturales.*
Con los años, Alfredo aprendió.
Aprendió que el eclipse ocurre porque el sol y la luna son una pareja que se lleva mal, sol de fuego, luna de agua, y cuando se encuentran se pelean, y el sol quema a la luna o la luna moja al sol y lo apaga;
y aprendió que la lluvia es hermana de los ríos;
que por los ríos corre la sangre de la tierra, y hay inundación cuando la sangre se derrama;
que la niebla se mata de risa burlando a los caminantes;
que la helada es tuerta, y por eso quema los cultivos por un solo lado;
que el ventarrón se relame comiéndose las semillas sembradas en luna verde;
y que el remolino da vueltas porque tiene un solo pie.

# Alma al aire

Según dicen algunas antiguas tradiciones, el árbol de la vida crece al revés. El tronco y las ramas hacia abajo, las raíces hacia arriba. La copa se hunde en la tierra, las raíces miran al cielo. No ofrece sus frutos, sino su origen. No esconde bajo tierra lo más entrañable, lo más vulnerable, sino que lo arriesga a la intemperie: entrega sus raíces, en carne viva, a los vientos del mundo.

—*Son cosas de la vida* —dice el árbol de la vida.

# El ginkgo

Es el más antiguo de los árboles. Está en el mundo desde la época de los dinosaurios.

Dicen que sus hojas evitan el asma, calman el dolor de cabeza y alivian los achaques de la vejez.

También dicen que el ginkgo es el mejor remedio para la mala memoria. Eso sí que está probado. Cuando la bomba atómica convirtió a la ciudad de Hiroshima en un desierto de negrura, un viejo ginkgo cayó fulminado cerca del centro de la explosión. El árbol quedó tan calcinado como el templo budista que el árbol protegía. Tres años después, alguien descubrió que una lucecita verde asomaba en el carbón. El tronco muerto había dado un brote. El árbol renació, abrió sus brazos, floreció.

Ese sobreviviente de la matanza sigue estando ahí.

Para que se sepa.

# Historia viva

Según se cuenta en Veracruz, ésta fue la primera casa de Hernán Cortés en tierras de México.

Cortés mandó que fuera hecha de adobe, con piedras del río Huitzilapan y corales de los arrecifes de la mar, cerquita del lugar donde había amarrado su nave capitana.

La casa, todavía en pie, parece viva; pero ha muerto por asfixia. Un árbol enorme ha estrangulado, con mil brazos, la casa del conquistador. Ramas, lianas y raíces han aplastado las paredes, han invadido el patio y han tapiado las ventanas, por donde ya no entra ni un poquito de luz. El tupido ramaje sólo ha dejado una puerta abierta, para nadie, mientras día tras día se sigue cumpliendo la lenta ceremonia de la devoración, un trabajo de siglos, ante la indiferencia o el desprecio de los vecinos.

# El cuxín

Allí había nacido, allí había dado sus pasos primeros.

Cuando Rigoberta pudo regresar a Guatemala, años después, su comunidad ya no estaba. Los soldados no habían dejado nada vivo en la comunidad que se había llamado Laj-Chimel, la Chimel chiquita, la que se guarda en el hueco de la mano: mataron a los comuneros y al maíz y a las gallinas; y los pocos indios fugitivos tuvieron que estrangular a sus perros, para que no los delataran los ladridos en la espesura.

Rigoberta Menchú deambuló por su tierra alta a través de la niebla, montaña arriba, montaña abajo, en busca de los arroyos de su infancia, pero ninguno había. Estaban secas las aguas donde ella se había bañado, o quizá se habían marchado lejos de allí.

Y de los árboles más añosos, que ella creía alzados para siempre, sólo quedaban restos podridos. Esas ramas poderosas habían servido para atar las horcas, y esos troncos habían sido paredones de fusilamiento; y después los árboles se habían dejado morir.

Y siguió Rigoberta caminando en la niebla, niebla adentro, gota sin agua, hojita sin rama: buscó a su amigo el cuxín, lo buscó donde él vivía, y no encontró más que sus raíces secas al aire. Eso era todo lo que quedaba del árbol que en sus años del exilio la visitaba en sueños, siempre frondoso de flores blancas de corazón amarillo.

El cuxín había envejecido en un ratito, y se había arrancado a sí mismo con raíz y todo.

## Árbol que recuerda

Siete mujeres se sentaron en círculo.

Desde muy lejos, desde su pueblo de Momostenango, Humberto Ak´abal les había traído unas hojas secas, recogidas al pie de un cedro.

Cada una de las mujeres quebró una hoja, suavemente, contra el oído. Y así se abrió la memoria del árbol:

Una sintió el viento soplándole la oreja.

Otra, la fronda que suavecito se hamacaba.

Otra, un batir de alas de pájaros.

Otra dijo que en su oreja llovía.

Otra escuchó algún bichito que corría.

Otra, un eco de voces.

Y otra, un lento rumor de pasos.

# Flor que recuerda

Parece orquídea, pero no. Huele a gardenia, pero tampoco. Sus grandes pétalos, alas blancas, tiemblan queriendo volar, irse del tallo; y ha de ser por eso que en Cuba la llaman *mariposa*.

Alessandra Riccio plantó, en tierra de Nápoles, un bulbo de mariposa, traído desde La Habana. En tierra extraña, la mariposa dio hojas, pero no floreció. Y pasaron los meses y los años, y seguía sin dar nada más que hojas cuando unos cubanos amigos de Alessandra llegaron a Nápoles y se quedaron en su casa durante una semana.

Entonces, en los alrededores de la planta, sonaron y resonaron las voces de su tierra, el antillano modo de decir cantando: la planta escuchó esa música de las palabras durante siete días y siete noches, porque los cubanos hablan despiertos y dormidos también.

Cuando Alessandra dijo adiós a sus amigos, y regresó del aeropuerto, encontró en su casa una flor blanca recién nacida.

# El jacarandá

En las noches, Norberto Paso acarreaba bolsas en el puerto de Buenos Aires.

En los días, lejos del puerto, levantaba esta casa. Blanca le subía los ladrillos y los baldes de mezcla, y las paredes iban creciendo en torno al patio de tierra.

Esta casa estaba a medio hacer cuando Blanca trajo un jacarandá del mercado. Era un árbol chiquito, ella había pagado un platal, Norberto se agarró la cabeza:

—*Estás loca* —dijo. Y la ayudó a plantarlo.

Cuando terminaron esta casa, Blanca murió.

Ahora han pasado los años, y Norberto sale poco. Una vez por semana, viaja unas horas hasta el centro de la ciudad, y se junta con otros viejos que protestan porque la jubilación es una mierda que no alcanza ni para pagar la soga donde colgarse.

Cuando Norberto regresa, tarde en la noche, el jacarandá lo está esperando.

# El plátano

Su maestro había muerto, de muerte infame, en una cruz de Jerusalén. Veinte siglos después, a Carlos Mugica una ráfaga de balas le partió el pecho en una calle de Buenos Aires.

Orlando Yorio, su hermano en la fe, quiso lavar la sangre de Carlos. Trajo un balde de agua y una escoba; pero los policías no lo dejaron. Y Orlando se quedó parado ante la casa, escoba en mano, los ojos clavados en ese charco grande como sangre de muchos.

Y de pronto se descargó la lluvia, sin aviso, a toda furia, y se llevó la sangre hasta el pie de un plátano. El plátano la bebió hasta la última gota.

# Diálogo verde

Parecen inmóviles, pero respiran y andan, buscando luz.

Y hablan. Poco se sabe; pero está probado, al menos, que cuando un árbol sufre golpes o lastimaduras, se defiende transpirando veneno y lanza una señal de alerta a los árboles cercanos. Por el aire viajan palabras que en idioma arbolés dicen: *peligro,* y dicen: *cuidado.* Y entonces también los árboles cercanos se defienden transpirando veneno.

Quizás ha sido así desde que los primeros árboles se irguieron sobre la tierra, y se multiplicaron, y tan inmensos fueron los bosques que, según dice la tradición, una ardilla podía recorrer el mundo de rama en rama.

Ahora, entre desierto y desierto, los árboles sobrevivientes mantienen viva esta antigua costumbre de buenos vecinos.

# Mudos

Muchos son los anillos que sus cumpleaños les han dibujado en el tronco. Estos árboles, estos gigantes añosos, llevan siglos clavados en lo hondo de la tierra, y no pueden huir. Indefensos ante las sierras eléctricas, crujen y caen. En cada derrumbamiento se viene abajo el mundo; y el pajarerío queda sin casa.

Mueren asesinados los viejos incómodos. En su lugar, crecen los jóvenes rentables. Los bosques nativos abren paso a los bosques artificiales. El orden, orden militar, orden industrial, triunfa sobre el caos natural. Parecen soldados en fila los pinos y los eucaliptos de exportación, que marchan rumbo al mercado internacional.

*Fast food, fast wood*: los bosques artificiales crecen en un ratito y se venden en un santiamén. Fuentes de divisas, ejemplos de desarrollo, símbolos del progreso, estos criaderos de madera resecan la tierra y arruinan los suelos.

En ellos, no cantan los pájaros.

La gente los llama *bosques del silencio.*

# Solos

El guacamayo era muy pichón cuando fue volteado el árbol donde tenía su nido.

Preso en una jaula, entre las cuatro paredes de una casa, pasó toda su vida.

Cuando la dueña murió, quedó abandonado. Lo recogió la familia Schlenker, que en las cercanías de Quito tiene un refugio para animales tristes.

Este guacamayo nunca había visto un pariente. Ahora no se entiende con los demás guacamayos, ni con ninguno de sus primos de la familia papagaya.

Ni con él se entiende. Acurrucado en un rincón, tiembla y chilla, se arranca las plumas a picotazos, tiene el pellejo sangrante y desnudo.

Pobre bicho, digo. Más solo, imposible. Pero Abdón Ubidia, que me ha llevado al refugio, me presenta al solo más solo del mundo.

Es el último aguti paca, o cuy de monte, que pasa las noches caminando en círculos y pasa los días escondido bajo el tronco hueco de un árbol caído. Él es el único de su especie que queda vivo en esta región. Todos los suyos han sido exterminados.

Mientras espera la muerte, no tiene a nadie con quien conversar.

# Houdini

Sus secuestradores le habían cortado un ala, cuando lo cazaron en la selva. Kitty Hischier lo encontró en el mercado de Puerto Vallarta. Le dio lástima, lo compró para liberarlo. Pero el loro no podía arreglarse solo. Mutilado como estaba, era un bocado fácil para el buche de cualquiera. Kitty decidió llevarlo, enjaulado, en su camioneta. Tenía la intención de pasarlo, clandestino, por la frontera. Él iba a ser uno más entre los miles y miles de mexicanos indocumentados en los Estados Unidos.

Fue bautizado Houdini, por su tendencia a la fuga. El primer día de viaje, levantó la puerta de la jaula con su pico poderoso. El segundo día, alzó el piso de la jaula por abajo. El tercer día, hizo un agujero en la malla de alambre. Al cuarto día, intentó la fuga por el techo, pero ya no le daban las fuerzas.

Houdini no hablaba ni comía. En huelga de lengua, en huelga de hambre, murió.

# Las ranas

Dicen que si una muchacha besa un sapo, el sapo se convierte en príncipe. El sapo no parece muy besable, pero algunas probaron. No funcionó.

En cambio, cuando los pesticidas químicos besaron a las ranas, las ranas se convirtieron en monstruos.

Antes, muy de vez en cuando aparecía algún hijo deforme en la familia de las ranas, pero las rarezas se han hecho habituales, en estos últimos años, en los lagos de Minnesota, en los bosques de Pennsylvania y en muchos lugares. Cada vez son menos las ranas que nacen, y cada vez son más las que nacen sin ojos y con una pata de más o de menos.

El fatal encuentro con los venenos químicos, diseminados por el viento, ocurrió cuando ya ellas llevaban muchos millones de años viviendo entre el agua y la tierra, desde aquel remoto día en que el canto de la primera rana rompió el silencio del mundo.

# Semillas

En Brasil, los campesinos preguntaron: ¿Por qué hay tanta gente sin tierra habiendo tanta tierra sin gente? Les respondieron a balazos.

Pero el miedo era su única herencia, y lo habían perdido. Siguieron preguntando, y conquistando tierras, y cometiendo el delito de querer trabajar.

Fueron millones y siguieron preguntando. Preguntaron: ¿Por qué se permite que las torturas químicas atormenten a la tierra? Y también: ¿Qué será de nosotros si las semillas dejan de ser semillas?

A principios del año 2001, los campesinos sin tierra invadieron una plantación experimental de semillas genéticamente modificadas, de la empresa Monsanto, en Río Grande do Sul. No dejaron en pie ni una sola planta de soja artificial.

La plantación se llamaba *Não me toque*.

# Hierbas

Para el ardor de barriga, tomate asado y sin piel.

Para el empacho, tepozán hervido.

Para los dolores, bálsamos de maguey, hule o tuna cocida.

La carne de nopal y la zarzaparrilla purificaban la sangre, las cáscaras de chícharo limpiaban los riñones y los piñones purgaban los intestinos.

Las flores de cinco dedos, del árbol de las manitas, daban serenidad y coraje al corazón.

Los conquistadores encontraron estas novedades en México. Las llevaron a España, junto con otras hierbas, de nombres indígenas impronunciables, que bajaban la fiebre, mataban los parásitos, liberaban la orina trancada o anulaban el veneno de las serpientes.

La antigua farmacia americana fue bien recibida en Europa.

Pero unos años después, la Santa Inquisición desató la cacería. La sabiduría de las plantas era un instrumento de brujas y demonios, disfrazados de médicos, que merecían el suplicio o la hoguera. Por debajo de sus ropajes exóticos, asomaban las pezuñas del Maligno.

Esos brebajes y esos ungüentos venían de América, del infierno, como los fuegos del chocolate y los humos del tabaco, que invitaban a pecar en lecho ajeno, y como los hongos demoníacos, que los paganos comían para flotar en los aires por las malas artes de sus idolatrías.

# Señora que cura

Esta montaña, ¿es una montaña?

¿O es una mujer echada al sol, de altas tetas y rodillas alzadas?

En lengua de los navajos, se llama Diichiti.

Las nubes le riegan el cuerpo curandero, donde brotan las hierbas que dan a los enfermos remedio o consuelo.

Sus entrañas son de piedra pómez. La empresa Arizona Tufflite la ha mordido durante años. Está en carne viva. Poca es la piel verde que le queda. Las enormes heridas se ven de lejos.

Las excavaciones se multiplicaron desde que la moda mandó envejecer lo nuevo, y se impusieron en el mercado los pantalones vaqueros gastados con piedra pómez. Pero también se multiplicaron las protestas, y esta vez fueron un solo trueno. Unieron sus voces los navajos, los hopis, los hualapais, los dinés, los zunis y otros pueblos, tradicionalmente divididos por quienes sobre ellos imperan. Y la empresa tuvo que irse.

Mientras el nuevo milenio nacía, los indios empezaron a curar a la mujer que los cura.

# Señora que escucha

Al mismo tiempo, miles de leguas al sur, los indios u´wa fueron expulsados a balazos de sus tierras en las montañas de Samoré. Helicópteros y tropas de infantería despejaron el camino a la empresa Occidental Petroleum, y la prensa colombiana difundió palabras de bienvenida a *esta avanzada del progreso en un medio hostil.*

Cuando los taladros comenzaron su tarea, los expertos anunciaron que la perforación iba a rendir no menos de mil cuatrocientos millones de barriles de petróleo.

Al amanecer y al atardecer de cada día, los indios se juntaban para cantar sus conjuros en las cumbres neblinosas.

Al cabo de un año, la empresa había gastado sesenta millones de dólares y ni una sola gota había aparecido.

Los u´wa comprobaron, una vez más, que la tierra no es sorda. La tierra los había escuchado y había escondido el petróleo, su sangre negra, para que no murieran los árboles, ni se secaran los pastos, ni dieran veneno los manantiales.

En su lengua, u´wa significa *gente que piensa.*

# Señor que habla

No hace mucho, en el valle de México, una montaña estalló.

Nubes de fuego, rocas encendidas, cenizas ardientes: el volcán Popocatépetl vomitó las piedras que le tapaban la boca grande como cuatro estadios de fútbol.

Fue casi imposible el desalojo de los pueblos vecinos:

—*No, no* —se resistía la gente—. *Él es bueno. No nos hará nada.*

Desde siempre, los lugareños comen y beben con don Popo. Le ofrecen tortillas, tequila y música, y le piden lluvia para los frijoles y el maíz y ayuda contra el granizo y los malos vientos del aire y de la vida. Él les contesta por boca de los tiemperos, los maestros del tiempo, que lo escuchan mientras sueñan y después cuentan lo que dice.

Ésa es la costumbre. Pero esta vez, el Popo no avisó. Ningún tiempero supo que el volcán estaba atragantado y harto de hablar por boca ajena.

Y el volcán dijo lo suyo.

No mató a nadie.

La noche de la explosión, hubo tres bodas, como si tal cosa, en uno de los pueblos de la falda; y el rojerío del cielo iluminó las ceremonias.

# Señor que calla

En la época colonial, el Cerro Rico de Potosí produjo mucha plata y muchas viudas.

Durante más de dos siglos, Europa celebró, en estas heladas alturas de América, una ceremonia occidental y cristiana: día tras día, noche tras noche, daba de comer carne humana a la montaña, a cambio de la plata que le arrancaba.

De cada diez indios que entraban a la boca de los socavones, siete no salían. El exterminio ocurrió en Bolivia, que todavía no se llamaba así, para que en Europa fuera posible el desarrollo del capitalismo, que tampoco se llamaba así todavía.

En nuestros días, el Cerro Rico es una montaña hueca. Toda su plata se ha marchado lejos, sin decir adiós.

En lengua indígena, Potosí, *Potojsi,* significa: *truena, hace explosión,* porque dice la tradición que en tiempos lejanos el cerro tronaba cuando lo lastimaban. Ahora, vaciado, calla.

# Primeras letras

De los topos, aprendimos a hacer túneles.
De los castores, aprendimos a hacer diques.
De los pájaros, aprendimos a hacer casas.
De las arañas, aprendimos a tejer.
Del tronco que rodaba cuesta abajo, aprendimos la rueda.
Del tronco que flotaba a la deriva, aprendimos la nave.
Del viento, aprendimos la vela.
¿Quién nos habrá enseñado las malas mañas? ¿De quién aprendimos a atormentar al prójimo y a humillar al mundo?

# El Juicio Final

No consigo sacarme de la cabeza el presentimiento de que sufriremos, alguna vez, un Juicio Final. Y nos imagino a todos interpelados por fiscales que nos señalarán con la pata o con la rama, acusándonos de haber convertido el reino de este mundo en un desierto de piedra:

—*¿Qué han hecho ustedes de este planeta? ¿En qué supermercado lo compraron? ¿Quién les ha otorgado a ustedes el derecho de maltratarnos y exterminarnos?*

Y veo un alto tribunal de bichos y plantas dictando sentencia de condenación eterna contra el género humano.

¿Pagaremos justos por pecadores? ¿Pasaremos todos la eternidad en el infierno? ¿Asados todos a fuego lento junto a los envenenadores de la tierra, el agua y el aire?

Antes, yo creía que el Juicio Final era asunto de Dios. Sol negro, luna de sangre, ira divina: en el peor de los casos, yo iba a compartir la parrilla perpetua con los asesinos seriales, las cantantes de televisión y los críticos literarios.

Ahora eso me parece, comparando, cosa de nada.

# Mapa del tiempo

Hace unos cuatro mil quinientos millones de años, año más, año menos, una estrella enana escupió un planeta, que actualmente responde al nombre de Tierra.

Hace unos cuatro mil doscientos millones de años, la primera célula bebió el caldo del mar, y le gustó, y se duplicó para tener a quién convidar el trago.

Hace unos cuatro millones y pico de años, la mujer y el hombre, casi monos todavía, se alzaron sobre sus patas y se abrazaron, y por primera vez tuvieron la alegría y el pánico de verse, cara a cara, mientras estaban en eso.

Hace unos cuatrocientos cincuenta mil años, la mujer y el hombre frotaron dos piedras y encendieron el primer fuego, que los ayudó a pelear contra el miedo y el frío.

Hace unos trescientos mil años, la mujer y el hombre se dijeron las primeras palabras, y creyeron que podían entenderse.

Y en eso estamos, todavía: queriendo ser dos, muertos de miedo, muertos de frío, buscando palabras.

# El silencio

Una larga mesa de amigos, en el restorán *Plataforma*, era el refugio de Tom Jobim contra el sol del mediodía y el tumulto de las calles de Río de Janeiro.

Aquel mediodía, Tom se sentó aparte. En un rincón, se quedó tomando cerveza con Zé Fernando Balbi. Con él compartía el sombrero de paja, que lo usaban salteado, un día uno, al día siguiente el otro, y también compartían algunas cosas más.

—*No* —dijo Tom, cuando alguien se arrimó—. *Estoy en una conversa muy importante.*

Y cuando se acercó otro amigo:

—*Me vas a disculpar, pero nosotros tenemos mucho que hablar.*

Y a otro:

—*Perdón, pero aquí estamos discutiendo un asunto grave.*

En ese rincón aparte, Tom y Zé Fernando no se dijeron ni una sola palabra. Zé Fernando estaba en un día muy jodido, uno de esos días que habría que arrancar del almanaque y expulsar de la memoria, y Tom lo acompañaba callando cervezas. Así estuvieron, música del silencio, desde el mediodía hasta el fin de la tarde.

Ya no quedaba nadie cuando se marcharon los dos, caminando despacito.

# La palabra

En la selva del Alto Paraná, un camionero me advirtió que tuviera cuidado:

—*Ojo con los salvajes* —me dijo—. *Todavía andan algunos sueltos por aquí. Por suerte, quedan pocos. Ya los están encerrando en el zoológico.*

Él me lo dijo en idioma castellano. Pero no era ésa su lengua de cada día. El camionero hablaba en guaraní, en la lengua de esos salvajes que él temía y despreciaba.

Cosa rara: el Paraguay habla el idioma de los vencidos. Y cosa más rara, todavía: los vencidos creen, siguen creyendo, que la palabra es sagrada. La palabra mentida insulta lo que nombra, pero la palabra verdadera revela el alma de cada cosa. Creen los vencidos que el alma vive en las palabras que la dicen. Si te doy mi palabra, me doy. La lengua no es un basurero.

# La carta

Enrique Buenaventura estaba bebiendo ron en una taberna de Cali, cuando un desconocido se acercó a la mesa. El hombre se presentó, era de oficio albañil, perdone el atrevimiento, disculpe la molestia:

—*Necesito que me escriba una carta. Una carta de amor.*

—*¿Yo?*

—*Me han dicho que usted puede.*

Enrique no era especialista, pero hinchó el pecho. El albañil aclaró que él no era analfabeto:

—*Yo puedo escribir, yo sé. Pero una carta así, no sé.*

—*¿Y para quién es la carta?*

—*Para... ella.*

—*¿Y usted qué quiere decirle?*

—*Si lo sé, no le pido.*

Enrique se rascó la cabeza.

Esa noche, puso manos a la obra.

Al día siguiente, el albañil leyó la carta:

—*Eso* —dijo, y le brillaron los ojos—. *Eso era. Pero yo no sabía que era eso lo que yo quería decir.*

# Las cartas

Juan Ramón Jiménez abrió el sobre en su cama del sanatorio, en las afueras de Madrid.

Leyó la carta, admiró la fotografía. *Gracias a sus poemas, ya no estoy sola. ¡Cuánto he pensado en usted!*, confesaba Georgina Hübner, la desconocida admiradora que le escribía, desde lejos, su primera misiva. Olía a rosas el papel rosado, y estaba pintada de rosáceas anilinas la foto de la dama que sonreía, hamacándose, en el rosedal de Lima.

El poeta contestó. Y algún tiempo después, el barco trajo a España una nueva carta de Georgina. Ella le reprochaba su tono tan ceremonioso. Y viajó al Perú la disculpa de Juan Ramón, *perdone usted si le he sonado formal y créame si acuso a mi enemiga timidez.* Y así se fueron sucediendo las cartas que lentamente navegaban entre el norte y el sur, entre el poeta enfermo y su lectora apasionada.

Cuando Juan Ramón fue dado de alta, y regresó a su casa de Andalucía, lo primero que hizo fue enviar a Georgina el emocionado testimonio de su gratitud, y ella contestó palabras que le hicieron temblar la mano.

Las cartas de Georgina eran obra colectiva. Un grupo de amigos las escribía desde una taberna de Lima. Ellos habían inventado todo: la foto, el nombre, las cartas, la delicada caligrafía. Cada vez que llegaba carta de Juan Ramón, los amigos se reunían, discutían la respuesta y ponían manos a la obra.

Con el paso del tiempo, carta va, carta viene, las cosas fueron cambiando. Proyectaban una carta y terminaban escribiendo otra, mucho más libre y volandera, quizá dictada por esa hija de todos ellos que no se parecía a ninguno y a ninguno obedecía.

En eso, llegó la carta de Juan Ramón anunciando su viaje. El poeta iba a embarcarse hacia Lima, hacia la mujer que le había devuelto la salud y la alegría.

Reunión de emergencia. ¿Qué se podía hacer? ¿Confesarlo todo? ¿Cometer esa crueldad? Debatieron el asunto durante horas y horas, hasta que tomaron la decisión.

Al día siguiente, el cónsul del Perú en Andalucía golpeó a la puerta de Juan Ramón, en los olivares de Moguer. El cónsul había recibido un telegrama urgente desde Lima: *Georgina Hübner ha muerto.*

# El cartero

Lo ví en el ataúd, con esa cara plácida y jodona, y pensé: no se puede creer. El Gordo Soriano se estaba haciendo el muerto.

Me lo confirmó Manuel, el hijo, idéntico al Gordo aunque más chiquito. Él me dijo que le había dado una carta al padre, para que se la entregara a Filipi.

Filipi, su amigo, había muerto un poco antes. Filipi era lagartija. Una lagartija rara, que tenía costumbres de camaleón y cambiaba de color cuando quería. En la carta, Manuel le enseñaba un juego, para que pudiera entretenerse en la muerte, que es muy aburrida. Para jugar ese juego, había que escribir no sé qué letras. "Usá las uñas, Filipi", lo instruía Manuel.

Estaba claro. Osvaldo Soriano se había pasado la vida escribiendo cuentos y novelas, cartas enviadas a sus lectores, y ahora estaba trabajando de cartero. En un rato volvía.

# El lector

En uno de sus cuentos, Soriano imaginó un partido de fútbol en algún pueblito perdido en la Patagonia. Al equipo local, nunca nadie le había metido un gol en su cancha. Semejante agravio estaba prohibido, bajo pena de horca o tremenda paliza. En el cuento, el equipo visitante evitaba la tentación durante todo el partido; pero al final el delantero centro quedaba solo frente al arquero y no tenía más remedio que pasarle la pelota entre las piernas.

Diez años después, cuando Soriano llegó al aeropuerto de Neuquén, un desconocido lo estrujó en un abrazo y lo alzó con valija y todo:

—¡Gol, no! ¡Golazo! —gritó—. ¡Te estoy viendo! ¡A lo Pelé lo festejaste! —y cayó de rodillas, elevando los brazos al cielo.

Después, se cubrió la cabeza:

—¡Qué manera de llover piedras! ¡Qué biaba nos dieron!

Soriano, boquiabierto, escuchaba con la valija en la mano.

—¡Se te vinieron encima! ¡Eran un pueblo! —gritó el entusiasta. Y señalándolo con el pulgar, informó a los curiosos que se iban acercando:

—A éste, yo le salvé la vida.

Y les contó, con lujo de detalles, la tremenda gresca que se había armado al fin del partido: ese partido que el autor había jugado en soledad, una noche lejana, sentado ante una máquina de escribir, un cenicero lleno de puchos y un par de gatos dormilones.

# El libro

Reina Reyes quería que Felisberto Hernández pudiera dedicarse a escribir sus cuentos prodigiosos y a tocar el piano. La literatura le daba pocos lectores y plata ninguna, y la música no era, que digamos, un gran negocio: Felisberto viajaba por el interior del Uruguay y el litoral de la Argentina, ofreciendo conciertos, y terminaba siempre escapándose del hotel por la ventana.

Reina era profesora, trabajaba mucho para ganarse la vida. Mientras vivió con ella, Felisberto no escuchó nunca hablar de dinero.

El primer día de cada mes, Reina le regalaba un libro, de alguno de los narradores o poetas que a él le gustaban. Dentro del libro, estaba la libertad que lo salvaba del infierno de las oficinas, o de cualquier otro tormento laboral de esos que roban las horas y gastan la vida. Cada pocas páginas, bien planchadito, había un billete.

# La tinta

Los cronistas de la conquista de América se deshicieron en elogios a esa fruta rara, jamás vista ni saboreada, que los indios mexicanos llamaban ahuacátl y los peruanos palta.

Escribieron los cronistas que su forma semejaba a las peras, pero más se parecía a los pechos de moza doncella. Que crecía en los montes sin trabajo alguno, con Dios por hortelano. Que su delicada manteca, ni dulce ni amarga, regalaba suavidad a la boca, salud a los enfermos y fuerza a los flojos. Y que no había nada mejor para dar ardor al amor.

Ella, la fruta, opinó que muy merecidos eran esos homenajes, y para que el tiempo no los borrara ofreció a los cronistas la tinta indeleble de sus semillas. Con tinta de aguacate, con tinta de palta, fueron escritas las alabanzas.

# Sopa de letras

Por el tamaño y el brillo, parece una lágrima. Los científicos lo llaman *lepisma saccharina*, pero él responde al nombre de *pescadito de plata*, aunque de pez no tiene nada y no conoce el agua.

Se dedica a devorar libros, aunque tampoco tiene nada de polilla. Come lo que encuentra, novelas, poemas, enciclopedias, poquito a poco, engullendo palabra por palabra, en cualquier idioma.

Se pasa la vida en la oscuridad de las bibliotecas. De lo demás, ni se entera. La luz del día lo mata.

Sería erudito, si no fuera insecto.

# La narradora

Chiti Hernández-Martí se sentó en un banco, bajo la fronda del Parque del Retiro, y respiró hondo el aire verde. Cerró los ojos.

Cuando los abrió, a su lado había un enano.

El enano se presentó: era torero. Ella imaginó el tamaño del toro y se le frunció la cara.

—*Te ves muy triste* —dijo el enano. Y pidió, exigió:

—*Cuéntame.*

Ella negó con la cabeza, pero el enano insistió:

—*No seas desconfiada, Blanca Nieves.*

Y Chiti murmuró el primer nombre de hombre que se le pasó por la cabeza, mientras pensaba en lo dura que debía ser la vida de un enano torero. Y entonces, inventó:

—*El muy golfo se ha aprovechado de mí.*

A medida que su cuento se iba convirtiendo en novela, este perdulario me golpea, me maltrata, me llama puta y pocacosa, Chiti sentía cada vez menos pena por el enano y más pena por ella, pena y lástima por ella que para entonces ya estaba embarazada de aquel embustero casado y con hijos, cómo pude hacerle eso a mi novio que es tan bueno, pobrecillo mi ángel que no se merecía esto, y ahora mi madre se ha enterado de todo y me ha echado de casa y he perdido el trabajo y no sé qué será de mi vida, no conozco esta ciudad, no tengo a nadie, me cierran las puertas...

El enano callaba, abrumado, y se miraba los pies, que colgaban en el aire. Chiti temblaba de frío, aunque era pleno verano, mientras un arroyito de auténticas lágrimas se desprendía de sus ojos y atravesaba el parque, hacia el lago donde navegan los barcos de remo.

# El narrador

Eran tiempos de exilio. Muy lejos de su tierra, Héctor Tizón andaba con las raíces doliéndole como nervios sin piel.

Alguien le había recomendado un psicoanálisis, pero el psicoanalista y él pasaban mudos la eternidad de cada sesión. El paciente, tumbado en el diván, no abría la boca, por ser de naturaleza enroscado y por creer que su biografía carecía de importancia. Y también estaba callado el terapeuta, y sesión tras sesión seguían en blanco, siempre en blanco, las páginas del cuaderno que yacía sobre sus rodillas. Al cabo de los cincuenta minutos, el psicoanalista suspiraba:

—*Bueno. Ya es hora.*

A Héctor le daba pena el buen hombre, y él mismo se daba pena.

Decidió que las cosas no podían seguir así.

Desde entonces, a media mañana, mientras el tren lo llevaba desde Cercedilla hasta Madrid, Héctor iba inventando buenas historias para contar. Y apenas se echaba en el diván, se montaba en el arcoiris y disparaba sus cuentos de montañas embrujadas, ánimas que silbaban en la noche, luces malas que hacían casa en la niebla y sirenas que templaban guitarras a la orilla del río Yala.

# El naufragio

Albert Londres había viajado mucho y había escrito mucho. Había escrito sobre los hervideros de furia de los Balcanes y de Argelia, las trincheras de la primera guerra mundial, las barricadas de Rusia y de China, la trata de negros en Dakar y la trata de blancas en Buenos Aires, las penurias de los pescadores de perlas en Adén y el infierno de los presos en Cayena.

Una noche serena, cuando caminaba por las calles de Shangai, algo como un rayo lo golpeó con la violenta luz de la revelación.

Algún dios, supongo, le hizo ese favor, por gentileza o crueldad.

Desde entonces, no pudo comer ni dormir.

Todas las horas de su vigilia y de su sueño fueron consagradas a crear un libro que iba a ser el primero, aunque ya llevaba veinte libros publicados. Empezó a trabajar encerrado en su habitación de un hotel del puerto y continuó su tarea, fiebre sin pausa, metido en su camarote de un buque llamado Georges Philippar.

Al llegar a las aguas del mar Rojo, el buque se incendió. Albert no tuvo más remedio que salir a cubierta y a los empujones fue arrojado a un bote salvavidas. Ya el bote se estaba alejando del naufragio, cuando Albert se golpeó la frente, gritó *¡mi libro!* y se echó al agua. Nadando, llegó. Trepó como pudo al buque en llamas y se metió en el fuego, donde su libro ardía.

Y nunca más se supo de ninguno de los dos.

# Elogio de la prensa

Alberto Villagra era un glotón del diario. A la hora del desayuno, las noticias, recién salidas del horno, le crujían en las manos.

Una mañana, juró:

—*Alguna vez voy a leer el diario arriba de un elefante.*

Rosita, su mujer, lo ayudó a cumplir. Juntaron dinero, hasta que pudieron viajar a la India y Alberto se sacó las ganas. No consiguió desayunar a lomo de elefante, pero pudo hojear un diario de Bombay sin caerse de allá arriba.

Helena, la hija, también es diariómana. El primer café no tiene aroma, sabor ni sentido, si no llega acompañado por el diario. Y si el diario no está, de inmediato aparecen los primeros síntomas, temblores, mareos, tartamudeos, del síndrome de abstinencia.

El testamento de Helena pide que no le lleven flores a la tumba:

—*Llévenme el diario* —pide.

# Instrucciones para leer el diario

El general mexicano Francisco Serrano fumaba y leía, hundido en un sillón del casino militar de Sonora.

El general leía el diario. El diario estaba cabeza abajo.

El presidente, Álvaro Obregón, quiso saber:

—¿Usted siempre lee el diario al revés?

El general asintió.

—¿Y se puede saber por qué?

—Por experiencia, presidente, por experiencia.

# Instrucciones para triunfar en el oficio

Hace mil años, dijo el sultán de Persia:

—*Qué rica.*

Él nunca había probado la berenjena, y la estaba comiendo en rodajas aderezadas con jengibre y hierbas del Nilo.

Entonces el poeta de la corte exaltó a la berenjena, que da placer a la boca y en el lecho hace milagros, porque para las proezas del amor es más poderosa que el polvo de diente de tigre o el cuerno rallado de rinoceronte.

Un par de bocados después, el sultán dijo:

—*Qué porquería.*

Y entonces el poeta de la corte maldijo a la engañosa berenjena, que castiga la digestión, llena la cabeza de malos pensamientos y empuja a los hombres virtuosos al abismo del delirio y la locura.

—*Recién llevaste a la berenjena al Paraíso, y ahora la estás echando al infierno* —comentó un insidioso.

Y el poeta, que era un profeta de los medios masivos de comunicación, puso las cosas en su lugar:

—*Yo soy cortesano del sultán. No soy cortesano de la berenjena.*

# A contramano

Las ideas del semanario *Marcha* revelaban cierta inclinación al rojo, pero más rojos estaban los números. Hugo Alfaro, que además de ser periodista hacía las veces de administrador y cumplía la insalubre tarea de pagar las cuentas, saltaba de alegría en raras ocasiones:

—*¡Tenemos la edición financiada!*

Había llegado publicidad. En la historia universal del periodismo independiente, siempre se ha celebrado semejante milagro como una prueba de la existencia de Dios.

Pero al director, Carlos Quijano, se le ponía verde la cara. Horror: no había peor noticia que aquella buena noticia. Si entraba publicidad, se iba a sacrificar alguna página, o varias, y cada pedacito de página era un sagrado espacio imprescindible para cuestionar certezas, arrancar máscaras, alborotar avisperos y ayudar a que mañana no fuera otro nombre de hoy.

Al cabo de treinta y cuatro años, la dictadura militar irrumpió en el Uruguay y acabó con *Marcha* y otras locuras.

# El sombrerero

Sonó el teléfono, escuché la voz cascada: un error así, no puedo creer, óigame bien, yo no hablo por hablar, que una equivocación vaya y pase, a cualquiera le sucede, pero un error así...

Me quedé mudo. Me vi venir lo peor. Yo acababa de publicar un libro sobre fútbol en un país, mi país, donde todos son doctores en la materia. Cerré los ojos y acepté mi condenación:

—*El Mundial del 30* —acusó la voz, gastada pero implacable.

—*Sí* —musité.

—*Fue en julio.*

—*Sí.*

—*¿Y cómo es el tiempo en julio, en Montevideo?*

—*Frío.*

—*Muy frío* —corrigió la voz, y atacó:

—*¡Y usted escribió que en el estadio había un mar de sombreros de paja! ¿De paja?* —se indignó—. *¡De fieltro! ¡De fieltro, eran!*

La voz bajó de tono, evocó:

—*Yo estaba allí, aquella tarde. 4 a 2 ganamos, lo estoy viendo. Pero no se lo digo por eso. Se lo digo porque yo soy sombrerero, siempre fui, y muchos de aquellos sombreros... los hice yo.*

# El sombrero

Cuando se ponía su sombrero, el poeta Manuel Zequeira se miraba al espejo y no veía nada más que el sombrero puesto.

Él sabía que el sombrero lo hacía invisible. Los demás pobladores de La Habana no compartían para nada esa certeza, pero el poeta no tenía buena opinión de las opiniones ajenas.

Con el sombrero puesto, Manuel se metía en las casas y en las tabernas, y besaba bocas prohibidas y comía platos de otros, sin hacer el menor caso a las furias que desataba. Y en los días de julio, cuando la ciudad hervía de calor, se echaba a caminar por las calles, sin más ropa que el sombrero, y no prestaba la menor atención a la gente que lo apedreaba. Mientras no le tocaran el sombrero, él no sentía.

Aquel sombrero, que deambulaba en el aire, era la única parte de él que no iba a morir cuando él muriera.

# La elegida

No había nacido en ella, pero en busca de ella había atravesado la mar, y en sus calles vivía.

La gente lo llamaba el Caballero de París, aunque era un gallego venido de Lugo.

Nunca aceptó limosnas. Para alimentarse, le sobraba con el sol que ella le daba.

Por ella, por promesa de amor, no se había cortado nunca el pelo ni la barba, que le llegaba a los pies. Y por deber de obediencia, cada dos por tres se mudaba: llevándose a cuestas todos sus bienes, que cabían en un par de viejas bolsas de lona, el Caballero se marchaba desde algún banco del Parque del Cristo hasta las escalinatas de la iglesia del Sagrado Corazón, o instalaba su castillo en algún recoveco del muelle de Caballería.

En ese muelle, que tan suyo sentía, perdonó públicamente a los guerrilleros de la Sierra Maestra, que le habían copiado la barba, y culminó esa tarde histórica recitando unos versos consagrados a su reina y señora.

Al servicio de ella, y de sus muchos encantos, el Caballero se había hecho rey de reyes y señor de señores. En defensa de ella, lanzaba sus declaraciones de guerra contra los enemigos que la codiciaban. Ante los leones del Paseo del Prado, rodeado por su guardia de alabarderos y por unos cuantos curiosos de paso, juraba resistir hasta la muerte y convocaba su flota de buques cañoneros y sus ejércitos del alba, del mediodía, del atardecer y de la medianoche.

Ahora yace bajo el suelo del convento de San Francisco, junto a los obispos, los arzobispos, los comendadores y los conquistadores.

Allí, en el lugar que merecía, lo enterró Eusebio Leal, que siempre ha sido, también, loco por ella.

En ella duerme, ahora, el Caballero: en esa dama destartalada y altiva, llamada La Habana, que vela su sueño.

## Moscas

José Miguel Corchado tiene el cuerpo lleno de preguntas. Hace años que ha perdido la cuenta de la cantidad de preguntas que lo acosan sin tregua; pero recuerda la tarde en que la primera pregunta entró.

Fue en la ciudad de Sevilla, una tarde de sol y aroma de azahares, según manda la costumbre: una tarde como cualquier otra, al cabo de una jornada de trabajo como cualquier otra. Él iba caminando hacia su casa, a través del gentío, solo de una soledad como cualquier otra soledad, cuando la primera pregunta llegó, volando como mosca. Él quiso espantarla, pero la pregunta se quedó dando vueltas a su alrededor, hasta que se le metió adentro y ya no salió. Y no lo dejó dormir en toda la noche.

Al día siguiente, José Miguel se sentó en una silla y anunció:

—*Yo de aquí no me levanto, hasta que no sepa quién soy.*

# Exorcismo

Ocurrió en 1950. Contra todo pronóstico, contra toda evidencia, Brasil fue derrotado por Uruguay y perdió su campeonato mundial de fútbol.

Después del pitazo final, mientras caía el sol, el público siguió sentado en las gradas del recién inaugurado estadio de Maracaná. Un pueblo tallado en piedra, inmenso monumento a la derrota: la mayor multitud jamás reunida en la historia del fútbol no podía hablar, ni podía moverse. Allí se quedaron los dolientes, hasta bien entrada la noche.

Y allí estaba Isaías Ambrosio. Le habían regalado una entrada, por haber sido uno de los albañiles que habían construido aquel estadio.

Medio siglo después, Isaías seguía estando allí.

Sentado en el mismo lugar, ante las gradas vacías del gigante de cemento, repetía su inútil ceremonia. Cada atardecer, a la hora fatal, Isaías trasmitía la jugada que había sellado la derrota, pegada la boca a un micrófono invisible, para la audiencia de una radio imaginaria. La trasmitía paso a paso, sin olvidar ningún doloroso detalle, y con voz de locutor profesional gritaba el gol, o más bien lo lloraba, y volvía a llorarlo, como en la tarde anterior y en la tarde siguiente y en todas las tardes.

# La máquina

Mezcla de radio, teléfono y plancha, provista de manivela y micrófono, la máquina de Rúsvelt Nicodemo era de alto nivel tecnológico.

Según decía Rúsvelt, la máquina lo había resucitado cuando él se murió porque la sangre se le cuajó como morcilla. Desde entonces, sólo en ella creía.

Cada vez que conseguía permiso para salir, Rúsvelt se iba a la calle El Conde, y allí se quedaba horas mirando pasar a las muchachas de la alta sociedad de Santo Domingo.

Siempre había alguna que brillaba entre todas las demás, y tras sus luces caminaba él, a respetuosa distancia.

Esa noche, la máquina, la que nunca mentía, le informaba:

—*Ella te adora.*

Y en la salida siguiente, Rúsvelt iba al cruce de la dama:

—*¿Hasta cuándo seguirás fingiendo desdén? Tu boca calla, pero yo escucho la voz de tu corazón.*

La máquina confirmaba:

—*Muere por ti.*

Pero no bien lo veía, ella salía corriendo. A Rúsvelt se le agotaba la paciencia y la perseguía gritándole *cobarde, engañera, mentirosa.* No por despecho: por indignación. Él no toleraba los simulacros.

Siempre terminaban igual sus permisos de salida. Una tremenda paliza, y de vuelta al manicomio de Nigua.

La máquina lo consolaba:

—*Si las mujeres fueran necesarias, Dios tendría una.*

# El mal de ojo

Se le rompió el tractor: alguna vez tenía que pasar.

Fracasó la cosecha: el tiempo no ayudó.

Pero cuando la desgracia atacó a la vaca, y el ternero nació muerto, Antonio lo tuvo claro: los vecinos le habían echado el mal de ojo.

Mal de ojo simple, no podía ser. Demasiada eficiencia. Antonio llegó a la conclusión de que sus enemigos emitían el maleficio desde un aparato electrónico, que parecía televisor pero no era. Buscó el ojo tecnológico en todo el pueblo de Ambia, estudiando las antenas casa por casa. No lo encontró.

No tuvo más remedio que mudarse a una casa metida en el monte, donde no había electricidad.

Rodeó su fortaleza con hojas de acebo, dientes de ajo, botellas rellenas de pan y un gran collar de sal todo alrededor; y la tapizó, por dentro, con cruces de todos los tamaños y fotos de los más famosos jugadores de fútbol de Galicia.

Y en la puerta clavó el cuchillo de cortar envidias.

# Mirando a Miró

Almir D´Avila entró de niño, lo declararon demente y nunca más salió.

Nunca nadie le ha escrito una carta, ni ha sido nunca visitado por nadie.

Aunque pudiera irse, no tiene adónde; aunque quisiera hablar, no tiene con quién.

Desde hace más de cuarenta años, pasa sus días en el manicomio de San Pablo, deambulando en círculos, con una radio pegada a la oreja, y en su camino se cruza siempre con los mismos hombres que deambulan en círculos con una radio pegada a la oreja.

Uno de los médicos organizó la visita a una exposición de pinturas de Joan Miró.

Almir se puso su traje único, viejito pero bien planchado bajo el colchón, se metió hasta los ojos su sombrero de almirante y marchó con los demás rumbo al museo.

Y vio. Vio los colores que estallaban, el tomate que tenía bigotes y el tenedor que bailaba, el pájaro que era mujer desnuda, los cielos con ojos y las caras con estrellas.

Anduvo, de cuadro en cuadro, con el ceño fruncido. Era evidente que Miró lo había defraudado, pero el médico quiso conocer su opinión:

—*Demasiada* —dijo Almir.

—*¿Demasiada qué?*

—*Demasiada locura.*

# Desmirar

Hacía más de un año que Titina Benavídez no conseguía levantar los párpados.

En el hospital creyeron que podía ser un caso de miastenia, una enfermedad rara; pero los exámenes descartaron la sospecha. Tampoco el oculista encontró nada.

Titina seguía día y noche con los párpados caídos, encerrada en la chacra de su familia, en las afueras de la ciudad de Las Piedras.

Quizá los ojos habían perdido las ganas de seguir mirando. No se sabe. Lo que sí se sabe es que el corazón de esa joven saludable perdió las ganas de seguir latiendo.

Fue el 31 de diciembre del 2000. Titina murió mientras morían el año, el siglo y el milenio, quizá cansados, como ella, de ver lo que veían.

# Ver

En los campos de Salto, aquel capataz, ya entrado en años, tenía fama de ver lo que nadie veía.

Carlos Santalla le preguntó, con todo respeto, si era verdad lo que se decía: que él veía lo invisible porque tenía mente grande. Tan grande era su mente, se decía, que no le cabía en el cráneo y le daba dolor de cabeza.

El viejo gaucho se rió a las carcajadas:

—*Yo, lo que te puedo decir es que soy muy curioso, y que tengo suerte. Cuanto más se me achica la vista, más veo.*

Carlos tenía nueve años cuando lo escuchó. Cuando ya andaba por cumplir un siglo de edad, todavía lo recordaba. A él también los años le habían achicado la vista, para que viera más.

# Puntos de vista

En algún lugar del tiempo, más allá del tiempo, el mundo era gris. Gracias a los indios ishir, que robaron los colores a los dioses, ahora el mundo resplandece; y los colores del mundo arden en los ojos que los miran.

Ticio Escobar acompañó a un equipo de la televisión, que viajó al Chaco, desde muy lejos, para filmar escenas de la vida cotidiana de los ishir.

Una niña indígena perseguía al director del equipo, silenciosa sombra pegada a su cuerpo, y lo miraba fijo a la cara, de muy cerca, como queriendo meterse en sus raros ojos azules.

El director recurrió a los buenos oficios de Ticio, que conocía a la niña y entendía su lengua. Ella confesó:

—*Yo quiero saber de qué color ve usted las cosas.*

—*Del mismo que tú* —sonrió el director.

—*¿Y cómo sabe usted de qué color veo yo las cosas?*

# Colores

Los dioses y los diablos se mezclan con el gentío, y van y vienen metidos en el abigarrado subibaja de la muchedumbre. Aquí nadie tiene trabajo, pero todos están muy ocupados.

La luz grita, el aire baila. Cada persona es un color que camina. De los cuerpos, negros, bajan sombras verdes y azules, y tantos tonos tienen los fulgores del aire que el arcoiris prefiere no salir, para evitar el papelón.

De cara a la mar, derramada sobre las laderas de las montañas desolladas, Port-au-Prince se ofrece a los ojos como una estridencia de colores, donde la vida se aturde y olvida lo poco que dura y lo mucho que duele.

¿Será que la ciudad copia a los pintores que pintan la ciudad? ¿O es ella quien convierte, sin ayuda, su basura en hermosura?

# Diccionario de los colores

Según los indios que sobreviven a orillas del río Paraguay, el plumaje da colores y poderes.

Las plumas verdes del loro no sólo regalan señorío al cuerpo que las luce: además, trasmiten vida a las plantas moribundas.

Si no fuera por las plumas rosadas de un ave llamada espátula, la tuna no daría frutos.

Las plumas negras del pato son buenas contra el mal humor.

Las plumas blancas de las cigüeñas ahuyentan las plagas.

El guacamayo ofrece plumas rojas para llamar a la lluvia, y plumas amarillas para atraer las buenas noticias.

Y las plumas grises del avestruz, que tan tristes parecen, dan brío al canto humano.

# El sietecolores

Dante D´Ottone andaba por el parque Rodó, dejándose vagar entre los árboles, cuando vio a una mujer agachada ante un enorme telescopio, que apuntaba al lago.

—Me va a disculpar, señora...

La mujer sacó el ojo del lente, y lo invitó:

—Mire, mire.

Y Dante descubrió un sietecolores, un pajarito de esos que jamás se ven en Montevideo, aleteando sobre el lago.

Ella contó que había querido comprar unos prismáticos, por lo mucho que le gustaba espiar a los pájaros libres, pero el dinero no daba. Un domingo, en la feria de Tristán Narvaja, había encontrado este aparato, arrumbado entre otros trastos viejos, y por unos pocos pesos se lo había quedado.

El sietecolores revoloteaba al tuntún, y el telescopio perseguía esa alegría del aire.

# El rey

En un parque de Gijón, desde las copas de los árboles, alguien grita.

Cuando ya no se escucha nada más que los susurros de la brisa en el follaje, rompe el silencio este grito que suena como un alarido humano.

Es el grito de la noche del pavo real.

Durante el día, él pasea sus resplandores. Arrastrando su larga cola de plumas, siempre vestido de fiesta, se pavonea el pavo. Cuando gira sobre sí mismo y despliega la cola, frondosa corona verdiazul, la luz de su belleza encanta a los caminantes y humilla a las otras aves del parque.

Los patos, ánades, cisnes, gansos, palomas y gorriones vuelan juntos o juntos caminan o navegan por el lago; juntos charlan, comen, duermen. Pero el pavo real vive sin nadie, lejos de los demás pavos reales, y con nadie se junta.

A nadie mira el que nació para ser mirado.

Cuando llega la noche, y ya la gente se ha ido, él vuela hacia la alta rama de algún árbol vacío, y se echa a dormir. Solo.

Entonces, grita.

# Historia del arte

—¡Mira, papá! ¡Bueyes!

Marcelino Sautuola echó atrás la cabeza. Y a la luz del farol, vio. No eran bueyes. En el techo de la caverna, manos maestras habían pintado bisontes, ciervos, caballos y jabalíes.

Poco después, Sautuola publicó un folleto sobre esas pinturas que había encontrado, de la mano de su hija, en la cueva de Altamira. Eran, según él, obras prehistóricas.

De todas partes acudieron espeleólogos, arqueólogos, paleontólogos, antropólogos: nadie le creyó. Se dijo que el autor de las pinturas era un artista francés, amigo de Sautuola, o algún otro chistoso de la vanguardia estética europea.

Después, se supo. Aquellos remotos cazadores del paleolítico no sólo habían perseguido a los animales. Por conjuro contra el hambre y contra el miedo, o por el puro y simple porque sí, también habían perseguido a la belleza que huía.

# Memoria de la piedra

En las profundidades de una cueva del río Pinturas, un cazador estampó en la piedra su mano roja de sangre. Él dejó su mano allí, en alguna tregua entre la urgencia de matar y el pánico de morir. Y algún tiempo después, otro cazador imprimió, junto a esa mano, su propia mano negra de tizne. Y luego otros cazadores fueron dejando en la piedra las huellas de sus manos empapadas en colores que venían de la sangre, el carbón, la tierra o las plantas.

Trece mil años después, cerquita del río Pinturas, en la ciudad de Perito Moreno, alguien escribe en una pared: *Yo estuve aquí.*

# El pintor

Güiscardo Améndola, vecino del barrio, iba a pintar un mural en un bar de la costa. Me invitó a acompañarlo.

No llevó caja de pinturas, ni pinceles, ni escalera, ni nada. No era así como yo me imaginaba a Miguel Ángel camino de la Capilla Sixtina, pero mis pocos años no me daban derecho a hacer preguntas.

Nos esperaba una gran pared negra.

Améndola se subió a una silla y sacó del bolsillo una moneda de borde dentado. Moneda en mano, atacó. Y el filo hirió la pared con largas líneas blancas, que se cruzaban sin ton ni son. Yo lo miraba hacer, sin entender esa esgrima. Después de unas cuantas estocadas, ví aparecer un faro en la negrura, un poderoso faro que se alzaba entre las rocas y daba luz al oleaje.

Aquel faro, nacido de una moneda, iba a salvar del naufragio a los marineros de los barcos y a los borrachitos del mostrador.

# El fotógrafo

Era jugador de fútbol. Jugando para la selección nacional de Cuba, un pelotazo lo tumbó.

Parecía muerto. Tiempo después, despertó en el hospital. Estaba vivo. Estaba ciego.

Ahora, Hiladio Sánchez es fotógrafo. Cámara en mano, ejerce sus artes de manosanta de la imagen. Elige el tema que mejor le suena, mide la distancia caminando y ajusta el diafragma según la ìntensidad del calor. Y cuando todo está listo, dispara.

Hiladio fotografía la luz del sol, que guía los pasos de las horas y de la gente.

No fotografía la luz de la luna. Cada noche, esos dedos helados le tocan la cara. Y el ciego se hace el sordo.

# Los escultores

El cerro Piltriquitrón tiene la cabeza en las nubes. Hasta hace poco, la cabeza era bosque quemado. Ahora, es bosque tallado.

Uno de los incendios que se han hecho habituales en la Patagonia había atacado el cerro. Y entonces los artistas escultores, venidos de aquí y de allá, subieron hasta esa cumbre y se pusieron a trabajar los troncos que el fuego había volteado o mutilado.

Los árboles, ¿estaban muertos, o se hacían los muertos? Durante una semana, día tras día, los escultores hicieron su tarea. Y por gracia y magia de sus manos, ese cementerio se ha convertido en teatro.

La función comienza cuando usted llega. Un tronco gigantesco es ahora un arlequín, despatarrado, con un solo sombrero y dos cabezas. El arlequín da la bienvenida. Y los visitantes entran y pasean, de árbol en árbol, a lo largo de los cuerpos de madera que se alzan desde las ruinas y entre las ruinas juegan.

# Volantines

Acaba la estación de las lluvias, el tiempo refresca, en las milpas el maíz ya se ofrece a la boca. Y los vecinos del pueblo de Santiago Sacatepéquez, artistas de las cometas, dan los toques finales a sus obras.

Son todas diferentes, nacidas de muchas manos, las cometas más grandes y más bellas del mundo.

Cuando amanece el Día de los Muertos, estos inmensos pájaros de plumas de papel se echan a volar y ondulan en el cielo, hasta que rompen las cuerdas que los atan y se pierden allá arriba.

Aquí abajo, al pie de cada tumba, la gente cuenta a sus muertos los chismes y las novedades del pueblo. Los muertos no contestan. Ellos están gozando esa fiesta de colores que ocurre allá donde las cometas tienen la suerte de ser viento.

# El precio del arte

Europa había tenido la gentileza de civilizar el África negra. Le había roto el mapa y se había tragado sus pedazos; le había robado el oro, el marfil y los diamantes; le había arrancado a sus hijos más fuertes y los había vendido en los mercados de esclavos.

Para completar la educación de los negros, Europa les obsequió numerosas invasiones militares de castigo y escarmiento.

A fines del siglo diecinueve, los soldados británicos llevaron a cabo, en el reino de Benín, una de esas operaciones pedagógicas. Después de la carnicería, y antes del incendio, se llevaron el botín. Era la mayor colección de arte africano jamás reunida: una enorme cantidad de máscaras, esculturas y tallas arrancadas de los santuarios que les daban vida y amparo.

Esas obras venían de mil años de historia. Su perturbadora belleza despertó, en Londres, alguna curiosidad y ninguna admiración. Los frutos del zoológico africano sólo interesaban a los coleccionistas excéntricos y a los museos dedicados a las costumbres primitivas. Pero cuando la reina Victoria mandó el botín a remate, el dinero alcanzó para pagar todos los gastos de su expedición militar.

El arte de Benín financió, así, la devastación del reino donde ese arte había nacido y sido.

# Primera música

Sonaba como los mosquitos en verano, aunque no era verano.

Aquella noche de 1964, Arno Penzias y Robert Wilson no podían trabajar en paz. Desde una cresta de los montes Apalaches, los dos astrónomos estaban tratando de captar las ondas emitidas por quién sabe qué lejanísima galaxia, pero la antena les devolvía un zumbido que les atormentaba los oídos.

Después, se supo. El zumbido era el eco de la explosión que había dado origen al universo. Aquella vibración de la antena no venía de los mosquitos, sino del estallido que había fundado el tiempo y el espacio y los astros y todo lo demás. Y quizá, quién sabe, digo yo, el eco estaba todavía ahí, resonando en el aire, porque quería ser escuchado por nosotros, terrestres personitas, que también somos ecos de aquel remoto llanto del universo recién nacido.

# El precio del progreso

Apolo, sol de los griegos, era el dios de la música.

Él había inventado la lira, que humillaba a las flautas, y pulsando la lira trasmitía a los mortales los secretos de la vida y de la muerte.

Un día, el más músico de sus hijos descubrió que las cuerdas de tripa de buey sonaban mejor que las cuerdas de lino.

A solas con su lira, Apolo probó la invención. Hizo vibrar el nuevo cordaje y confirmó que era superior.

Entonces, el dios se regaló la boca con néctar y ambrosía, alzó su arco de guerra, apuntó al hijo y desde lejos le partió el pecho de un flechazo.

# Flautas

Bailar la vida, comer la vida: la ciudad de Sibaris, al sur de lo que ahora llamamos Italia, estaba consagrada a la música y a la buena mesa.

Pero los sibaritas quisieron ser guerreros, tuvieron sueños de conquista; y Sibaris fue aniquilada. Crotona, la ciudad enemiga, la borró del mapa hace veinticinco siglos.

A orillas del golfo de Tarento, ocurrió la batalla final.

Los sibaritas, educados en la música, fueron por la música vencidos.

Cuando la caballería de Sibaris se lanzó a la carga, los soldados de Crotona desenvainaron sus flautas. Los caballos reconocieron la melodía, cortaron el galope en seco, se alzaron en dos patas y se pusieron a bailar. No era el momento más oportuno, dadas las circunstancias, pero los caballos siguieron bailando, según era su gusto y costumbre, mientras sus jinetes huían y las flautas no dejaban de sonar.

# El baile

Helena bailaba dentro de una caja de música, donde las damas de miriñaque y los caballeros de peluca giraban y hacían reverencias y seguían girando. Aquellos trompos de porcelana eran un poco ridículos pero simpáticos, y daba placer deslizarse con ellos en la espiral de la música, hasta que en una voltereta Helena tropezó, cayó y se rompió.

El golpe la despertó. El pie izquierdo le dolía mucho. Quiso levantarse, no podía caminar. Tenía el tobillo muy inflamado.

—*Me caí en otro país* —me confesó— *y en otro tiempo*. Pero no se lo dijo al médico.

# Tamborerías

Como los sueños, el tambor suena en la noche.

En las Américas, las sublevaciones de los esclavos se incubaban de día, al golpe del látigo, y estallaban de noche, al golpe del tambor.

Cuando los franceses quemaron vivo al rebelde Makandal, que alborotaba a los negros de Haití, fueron los tambores quienes anunciaron que él se había fugado, convertido en mosquito, desde la hoguera.

Los amos no entendían el lenguaje de los toques, pero bien sabían que esos sones brujos eran capaces de contar las noticias prohibidas y que llamaban a los dioses secretos o al Diablo en persona, que al ritmo del tambor bailaba con cascabeles en los tobillos.

Los amos no sabían, nunca supieron, que en las noches de luna llena el tambor se golpeaba a sí mismo, sin ninguna mano. Y entonces, cuando el tambor tocaba el tambor, los muertos se levantaban a escuchar el prodigio.

# El piano

Cuando la ciudad de Tarija estaba habitada por catorce mil novecientos cincuenta mandados y cincuenta mandones, la única mandona que no tenía piano era doña Beatriz Arce de Baldiviezo.

Un tío preocupado le envió, desde París, un Steinway de gran cola, para que ella recuperara su color y su respiración y se dejara de vivir roja de envidia y ahogada en suspiros.

Metido en un inmenso cajón, el piano viajó en barco, en tren, y después en hombros. Fue cargado a pulso, Bolivia adentro: cuarenta peones se abrieron paso a través de las serranías, inventando puentes, escaleras y caminos, con aquella mole encima. Cinco meses llevó el atroz subibaja por barrancos y quebradas, hasta que por fin el regalo llegó, sin un rasguño, a la casa de doña Beatriz.

No era un piano cualquiera. Aquel Steinway, bautizado por las manos de Franz Liszt, lucía los premios que le habían otorgado varios reinos de Europa.

Pasaron los años y las gentes. Con el tiempo, Tarija creció y cambió.

Y un día, doña María Nidi Baldiviezo, que había recibido el piano en herencia, salió del consultorio médico con diagnóstico de cáncer.

De la fortuna familiar ya sólo quedaban el piano y la nostalgia, y doña María puso el piano en venta, para pagarse el viaje y el tratamiento en Houston.

Recibió la primera oferta desde Japón. Ella se negó. La segunda propuesta vino desde los Estados Unidos, y ella no la aceptó. El tercer comprador llamó desde Alemania, y ella no hizo caso. Y lo mismo ocurrió con los interesados que acudieron desde Buenos Aires, La Paz y Santa Cruz. La vendedora decía no a los precios bajos y a los precios altos y a los del medio también.

Desde su lecho de enferma, doña María reunió a los musiqueros, los teatreros, los imagineros y demás eros de Tarija, y les propuso:

—*Dénme lo que tengan, y se quedan con el Steinway.*

Doña María murió sin viaje y sin tratamiento.

El piano no quería irse de Tarija. Allí había encontrado querencia, y allí continúa prestando sus invalorables servicios en las veladas culturales, en las efemérides patrias y en todos los actos cívicos de la localidad.

# El armonio

Hermógenes Cayo llegó a Buenos Aires, caminando miles y miles de leguas, desde las lejanas alturas de Jujuy. Viajó en 1946, junto con otros indígenas que luchaban por su derecho a la tierra; y entonces, como quien no quiere la cosa, se dio una vueltecita por Luján, donde le habían dicho que había una catedral que era para caerse de espaldas.

Cuando regresó a su tierra, alzó una catedral de Luján, en versión enana, a la entrada de su casa de piedra. Con adobe hizo los arcos góticos, y armó los vitrales con pedacitos de botellas rotas, de todos los colores que encontró. La copia quedó igualita al original, pero un poco más linda. Jorge Prelorán la filmó, para dejar constancia.

Años después, Hermógenes escuchó un armonio en alguna iglesia.

Nunca en su vida había escuchado un armonio, y descubrió que no podía seguir viviendo sin eso.

Pero poca es la gente y la distancia mucha, allá en la puna, y la iglesia quedaba a varios días de caminata. De modo que Hermógenes no tuvo más remedio que convencer al cura de que el armonio ése no estaba sonando bien. Diciendo ser un experto, ofreció sus servicios para ajustar el instrumento. Lo desarmó, dibujó cuidadosamente cada una de las piezas, y de vuelta a casa se hizo un armonio propio, todo tallado en cardón.

Su armonio le ofrecía música al fin de cada día.

# El electricista

Andaba en bicicleta, con la escalera al hombro, por los caminos de la pampa.

Bautista Riolfo era electricista y sieteoficios, un todero que arreglaba tractores, relojes, molinos, radios o escopetas. La joroba que tenía en la espalda le había salido de tanto agacharse hurgando enchufes, engranajes y rarezas.

René Favaloro, el único médico de la comarca, también era todero. Con los pocos instrumentos que tenía y los remedios que encontraba, oficiaba de cardiólogo, cirujano, partero, psicólogo y especialista en todo lo que se necesitara componer.

Un buen día, René viajó a Bahía Blanca y a la vuelta se trajo una máquina jamás vista en aquellas soledades habitadas por el viento y el polvo.

Ese tocadiscos tenía sus mañas. En un par de meses, se negó a seguir funcionando.

Y ahí vino Bautista, en su bicicleta. Sentado en el suelo, se rascó la barba, investigó, soldó unos cablecitos, ajustó tornillos y arandelas:

—*A ver ahora* —dijo.

Para probar el aparato, René eligió un disco, la Novena de Beethoven, y colocó la púa en su movimiento preferido.

Y la música invadió la casa y se echó a volar por la ventana abierta, hacia la noche, hacia la tierra sin nadie; y siguió viva en el aire cuando el disco dejó de girar.

René comentó algo, o algo preguntó, pero Bautista no contestó nada.

Bautista tenía la cara estrujada entre las manos.

Un largo rato pasó, hasta que el electricista consiguió decir:

—*Perdone, don René, pero yo nunca había escuchado eso. Yo no sabía que esa... esa electricidad existía en el mundo.*

# El cantor

Cuando Alfredo Zitarrosa murió en Montevideo, su amigo Juceca subió con él hasta los portones del Paraíso, por no dejarlo solo en esos trámites. Y cuando volvió, Juceca nos contó lo que había escuchado.

San Pedro preguntó nombre, edad, oficio.

—*Cantor* —dijo Alfredo.

El portero quiso saber: cantor de qué.

—*Milongas* —dijo Alfredo.

San Pedro no conocía. Lo picó la curiosidad, y mandó:

—*Cante.*

Alfredo cantó. Una milonga, dos, cien. San Pedro quería que aquello no acabara nunca. La voz de Alfredo, que tanto había hecho vibrar los suelos, estaba haciendo vibrar los cielos.

Y Dios, que andaba por ahí pastoreando nubes, paró la oreja. Y contó Juceca que ésa fue la única vez que Dios no supo quién era Dios.

# La cantora

Liliana Villagra llevaba un buen rato queriendo dormir, queriendo y no pudiendo, y tras mucho dar vueltas en la cama y mucho pelear con la almohada, escuchó las tres campanadas del reloj y necesitó aire: se levantó, abrió la ventana de par en par.

Toda la nieve de todos los inviernos había caído sobre París. El barrio de Pigalle era siempre bullanguero, resonante de juergas y peleas, alborotado por el ir y venir de las putas y los travestis; pero aquella noche Pigalle se había convertido en un desierto blanco, marcado por las huellas de los pasos idos.

Y entonces una canción subió hasta la ventana, desde la nieve: una voz de pajarito estaba entonando alguna antigua melancolía. Mientras esperaba clientes, recostada contra la pared, una mujer cantaba. Algunos copos de nieve caían todavía sobre la calle Houdon y caían sobre el abrigo de piel, comprado en el mercado de las pulgas, que esa mujer abría ofreciendo su cuerpo en la calle sin nadie.

Empinada en la ventana, Liliana ofreció café:

—¿No quiere entrar?

—Gracias, pero no puedo. Estoy trabajando.

—Linda canción —dijo Liliana.

—Yo canto para no dormirme —dijo la mujer.

# La canción

Praga estaba muda.

En la esquina donde la calle Celetnà se abre a la gran plaza de la Ciudad Vieja, una voz rompió, de pronto, el silencio de la noche.

Desde su silla de inválida, clavada en el empedrado, una mujer cantó.

Yo nunca había escuchado una voz tan bella y tan rara, voz de otro mundo, y me pellizqué el brazo. ¿Estaba dormido? ¿En qué mundo estaba?

Me contestaron unos muchachos, que aparecieron a mis espaldas: se burlaron de la paralítica cantora, la imitaron riendo a carcajadas, y ella se calló.

# Otra canción

Ren Weschler recogió su testimonio. En 1975, Breyten Breytenbach era el único preso blanco entre los muchos negros condenados a muerte en la cárcel de Pretoria.

Al fin de cada noche, uno de los condenados marchaba al patíbulo. Antes de que el piso se abriera bajo sus pies, el elegido cantaba. Cada amanecer, una canción diferente despertaba a Breyten. Aislado en su celda, él escuchaba la voz del que iba a morir.

Breyten sobrevivió. La sigue escuchando.

# Sirenas

Don Julián vivía solo, en la más sola de las islas de Xochimilco, en una choza de ramajes vigilada por las muñecas y los perros.

Las muñecas rotas, recogidas de los basurales, colgaban de los árboles. Ellas lo protegían contra los malos espíritus; y cuatro perros flacos lo defendían contra la mala gente. Pero ni las muñecas ni los perros sabían espantar a las sirenas.

Desde el fondo de las aguas, lo llamaban.

Don Julián tenía sus conjuros. Cada vez que las sirenas venían a llevárselo y cantaban las letanías que repetían su nombre, él las echaba contracantando:

*Lo digo yo, lo digo yo,*
*que me lleve el Diablo, que me lleve Dios,*
*pero tú no, pero tú no.*

Y también:

*Vete de aquí, vete de aquí,*
*dale a otra boca tu beso fatal,*
*pero no a mí, pero no a mí.*

Una tarde, después de preparar la tierra para sembrar calabazas, don Julián se puso a pescar en la orilla. Atrapó un pez enorme, que él conocía porque ya se le había escapado dos veces, y cuando le estaba arrancando el anzuelo, escuchó voces que también conocía.

*Julián, Julián, Julián,* cantaban las voces, como siempre. Y como siempre don Julián se inclinó ante las aguas, donde ondulaban los reflejos rojizos de las intrusas, y abrió la boca para entonar sus infalibles contracantos.

Pero no pudo. Esta vez, no pudo.

Su cuerpo, abandonado por la música, apareció flotando a la deriva entre las islas.

# Coplas

En los tiempos en que una grabadora ocupaba todo un caballo, Lauro Ayestarán andaba a campo traviesa, recogiendo la memoria de la música.

En busca de coplas perdidas, Lauro llegó una vez a un rancho escondido en las lejanías de Tacuarembó. Allí vivía un criollo que había sido mozo bailarín y guitarrero y diestro en duelos de versos.

Estaba aviejado el hombre. Ya no iba y venía de pueblo en pueblo y de fiesta en fiesta. Caminaba poco y se caía mucho, y para levantarse se apoyaba en el lomo de alguno de sus perros. Ya no veía. Tampoco cantaba, más bien soplaba palabras, pero tenía fama de memorioso:

—*De lo que hay, no falta nada* —susurraba, golpeándose la cabeza con un dedo.

Guitarra en mano, nomás rozándola, el viejo verseó, canturreó, tarareó. En la atardecida, sonaron ronquitas las palabras que celebraban la memoria de las vacas sueltas y los hombres libres.

Giraban y giraban los carretes de la grabadora. El coplero ciego escuchaba el zumbido sin comentarios, hasta que por fin preguntó qué era ese ruidito.

—*Ésta es una máquina para guardar voces* —explicó Ayestarán. Toqueteó la grabadora y volvieron a sonar los versos recién cantados.

El viejo escuchó su propia voz por primera vez en la vida.

No le gustó ni un poquito la imitación ésa.

# Ídola

Algunas noches, en los cafés, la competencia venía brava:

—*A mí, en los tiempos de la infancia, me meó un león* —decía uno, sin alzar la voz, negando importancia a su tragedia.

—*A mí, lo que más me gustaba era caminar por las paredes* —confesaba otro, y se quejaba porque en su casa le prohibían el pasatiempo.

Y otro:

—*Yo, de muchacho, escribía poemas de amor. Los perdí en un tren. ¿Y quién los encontró? Neruda.*

Don Arnaldo, de profesión odontólogo, no se dejaba intimidar. Acodado en el mostrador, soltaba un nombre:

—*Libertad Lamarque.*

Esperaba el impacto, y después:

—*¿Les suena?*

Y entonces evocaba su encuentro con la Novia de América.

Don Arnaldo no mentía. Una madrugada, allá por los años treinta, Libertad Lamarque, cantante y actriz, venía sufriendo duro castigo en un hotel de Santiago de Chile. El marido le estaba volando bofetadas, porque más vale prevenir que curar, y en plena biaba Libertad gritó:

—¡Basta! ¡Vos lo quisiste!

y se arrojó en picada desde la ventana del cuarto piso. Rebotó en un toldo y cayó encima del odontólogo, que venía de visitar a su mamá y justo en ese momento pasaba por la vereda. Libertad quedó intacta, y también intacta quedó su bata de damasco ornada de dragones chinos; pero el aplastado don Arnaldo fue conducido, en ambulancia, al hospital.

Cuando se le recompuso el hueserío, y le quitaron sus vendajes de momia, don Arnaldo empezó a contar la historia que después siguió contando, hasta el fin de sus días, en los cafés y en todo lugar donde hubiera alguna oreja: desde el cielo, desde la alta nube donde moraban las diosas del éter y de las candilejas, aquella estrella fugaz se había dejado caer sobre la tierra, y entre millones de hombres lo había elegido a él, sí, a él, y en sus brazos se había desplomado, para no morirse sola.

# El cine

Geraldine iba a trabajar en una película, en alguna aldea metida en las montañas de Turquía.

La primera tarde, salió a caminar. No había nadie, casi nadie, en las calles. Pocos hombres, mujer ninguna. Pero a la vuelta de una esquina, se topó, de sopetón, con un enjambre de muchachos.

Geraldine miró a los costados, miró hacia atrás: estaba cercada, no tenía escapatoria. La garganta se negó a gritar. Sin palabras, ofreció lo que tenía: el reloj, el dinero.

Los muchachos rieron. No, no era eso. Y hablando algo más o menos parecido al inglés, le preguntaron si ella era la hija de Chaplin.

Geraldine, atónita, asintió. Y recién entonces advirtió que los muchachos se habían pintado bigotitos negros, y que cada uno tenía una rama a modo de bastón.

Y la función empezó.

Y todos fueron él.

# El público

Había un gentío a las puertas del cine Yara, en La Habana, y un policía intentaba organizar la cola. La intención era buena, quizás heroica, pero no parecía muy realista. Cada vez que él conseguía poner a la gente en fila, la cola estallaba en un nuevo tumulto.

Solita estaba la autoridad, impotente ante la pasión por el cine y la pasión por el caos, cuando la voz de mando se hizo escuchar:

—¡Atrás! —ordenó el policía—. *¡Damas y caballeros, la cola se hace atrás del muro! ¡Del muro, para allá!*

—¿Qué muro? —preguntó la multitud, desconcertada.

Y la espada del orden explicó:

—*Si el muro no está... ¡imagínenlo!*

# La televisión

A fines del año 1999, el presidente del Uruguay inauguró una escuela en la zona de Pinar Norte.

Por tratarse de un barrio de gente pobre y trabajadora, el primer mandatario quiso enaltecer con su presencia este acto cívico.

El presidente llegó desde el cielo. Vino en helicóptero, acompañado por las cámaras de televisión.

En su discurso, rindió homenaje a los niños de la patria, que constituyen nuestro capital más valioso, y exaltó la importancia de la educación, que es la más rentable inversión en este mundo tan competitivo. A continuación, se entonó el himno nacional y se lanzaron al aire globos de colores.

Entonces, en el momento culminante de la ceremonia, el presidente regaló un juguete a cada uno de los alumnos.

La televisión trasmitió todo en directo.

Cuando las cámaras terminaron su trabajo, el presidente regresó al cielo. Y las autoridades de la escuela procedieron a recuperar los juguetes repartidos. No fue fácil arrancarlos de manos de los niños.

# El teatro

Aristófanes anduvo charlando con las comunidades de Chiapas y Antón Chejov viajó, con sus personajes, al desierto de San Luis Potosí.

Ellos nunca habían estado en esos parajes.

Fueron los actores de El Galpón quienes los llevaron a recorrer tierras mexicanas, de punta a punta.

Todo el elenco del teatro El Galpón estaba exiliado en México. Eran los años de mugre y miedo de la dictadura militar en el Uruguay, y en Montevideo había quedado solamente la sala.

Estaba la sala, que había sido hecha a pulso, sin una moneda de ayuda oficial; pero El Galpón no estaba, y el público tampoco. La dictadura ofrecía espectáculos ante las butacas vacías. Sombra sin cuerpo, cuerpo sin alma: nadie iba.

# La platea

Gonzalo Muñoz, cuya imagen de color sepia integra mi álbum de familia, había nacido para vivir de noche y dormir de día.

Él pasaba las noches en blanco, velando fantasmas, pero durante el día siempre había mucho para hacer, de modo que no tenía más remedio que dormir de a pedacitos. Caía dormido en cualquier momento y al despertar se confundía de hora, y a veces hasta se confundía de especie. En algunas ocasiones, don Gonzalo, que tenía costumbres de búho, cacareaba como gallo y en plena tarde saludaba el amanecer desde la azotea. Esos errores suyos no caían nada bien en el vecindario.

Una noche, acudió al estreno de un drama en el teatro Solís de Montevideo. Era función de gala, elenco europeo. En el segundo acto, se durmió. Se durmió justo cuando el personaje principal, un marido de mal carácter, se estaba agazapando, pistola en mano, detrás de un biombo. Poco después, cuando la esposa infiel entró en escena, el marido saltó de su escondite y disparó. Los balazos voltearon a la pecadora y despertaron a don Gonzalo, que se alzó en medio de la platea y exclamó, abriendo los brazos:

—¡Calma, señores, calma! ¡No se asusten, no corran! ¡Que nadie se mueva!

Su mujer, sentada al lado, desapareció para siempre en las profundidades de la butaca.

# El actor

Horacio Tubio había hecho casa en el valle de El Bolsón. La casa no tenía luz eléctrica. Él había venido desde California, cargando sus modernos chirimbolos; pero la computadora, el fax, el televisor y el lavarropas se negaban a funcionar con luz de velas.

Horacio acudió a la oficina correspondiente. Lo atendió un ingeniero. El ingeniero consultó unos enigmáticos mapas, y respondió que el servicio eléctrico ya estaba funcionando en esa zona.

—Sí, funciona —reconoció Horacio—. Funciona en el bosque. Los árboles están felices.

El ingeniero se indignó y sentenció:

—¿Sabe cuál es su problema? La arrogancia. Con esa arrogancia, usted no va a conseguir nunca nada en la vida.

Y le señaló la salida.

Horacio se retiró, cerró la puerta.

Pero en seguida el ingeniero escuchó: toc-toc.

Horacio estaba allí, arrodillado, humillando la cabeza:

—Usted, ingeniero, que ha tenido la suerte de poder estudiar...

—Levantesé, levantesé.

—Usted que tiene un título...

—Levantesé, por favor.

—Comprenda mi situación, ingeniero. Yo quisiera aprender a leer...

Horacio no interrumpió la letanía hasta que la luz eléctrica llegó a su casa.

# La actriz

Hace más de medio siglo, la Comedia Nacional llevó *Bodas de sangre* a los campos de Salto.

Esta obra de Federico García Lorca venía desde otros campos, lejanos campos de Andalucía. Era una tragedia de familias enemigas: una boda rota, una novia robada, dos hombres que se acuchillaban por una mujer. La madre de uno de los muertos exigía a su vecina:

—*¿Te quieres callar? No quiero llantos en esta casa. Tus lágrimas son lágrimas de los ojos, nada más.*

Margarita Xirgu era, en escena, esa madre altiva y dolida.

Cuando se apagaron los aplausos, un peón de estancia se acercó a Margarita y le dijo, sombrero en mano, la cabeza gacha:

—*Le acompaño el sentimiento. Yo también perdí un hijo.*

# Esos aplausos

Desde que García Lorca había caído, acribillado a balazos, en los albores de la guerra española, *La zapatera prodigiosa* no aparecía en los escenarios de su país. Muchos años habían pasado cuando los teatreros del Uruguay llevaron esa obra a Madrid.

Actuaron con alma y vida.

Al final, no recibieron aplausos. El público se puso a patear el suelo, a toda furia; y los actores no entendían nada.

China Zorrilla lo contó:

—*Nos quedamos pasmados. Un desastre. Era para ponerse a llorar.*

Pero después, estalló la ovación. Larga, agradecida. Y los actores seguían sin entender.

Quizás aquel primer aplauso con los pies, aquel trueno sobre la tierra, había sido para el autor. Para el autor, fusilado por rojo, por marica, por raro. Quizás había sido una manera de decirle: *para que sepas, Federico, lo vivo que estás.*

# La comedia de los cinco siglos

HOY FUNCIÓN HOY: Portugal celebró a lo grande los quinientos años del desembarco de Bartolomé Dias en las costas del sur del África. Convertido en un gran teatro de la nostalgia imperial, el país puso en escena al osado navegante que había llegado al Cabo de Buena Esperanza en 1487, en una época de alta gloria, cuando Dios había regalado a Portugal la mitad del mundo.

Actores vestidos al modo de los tiempos, sedas y terciopelos, finas espadas, sombreros de mucho plumaje, poblaron una copia exacta del navío de Bartolomé Dias, que se hizo a la mar y puso proa al África.

En la playa sudafricana, estaba previsto, habría una multitud de negros, saltando de alegría y de gratitud ante los navegantes que habían venido, cinco siglos antes, para hacerles el favor de descubrirlos. Pero esa playa era, en 1987, exclusiva para blancos. Los negros tenían prohibida la entrada, por esas cosas del *apartheid*.

Una eufórica multitud de blancos, pintados de negro, recibió a los portugueses.

# La comedia del siglo

En 1889, París festejó, con una gran exposición internacional, los cien años de la revolución francesa.

Argentina envió una variada muestra de frutos del país. Entre otros, mandó una familia de indios de la Tierra del Fuego. Eran once indios onas, ejemplares raros, una especie en extinción: los últimos onas estaban siendo aniquilados, en esos años, a tiros de winchester.

De los once onas enviados, dos murieron en el viaje. Los sobrevivientes fueron exhibidos en una jaula de hierro. *Antropófagos sudamericanos,* advertía un cartel. Durante los primeros días, no les dieron nada de comer. Los indios aullaban de hambre. Entonces, empezaron a arrojarles algunos pedacitos de carne cruda. Era carne de vaca; pero nadie quería perderse aquel espectáculo horripilante. El público, que había pagado entrada, se agolpaba en torno a la jaula donde los salvajes caníbales disputaban a zarpazos la comida.

Así fueron celebrados los primeros cien años de la Declaración de los Derechos del Hombre.

# La comedia del medio siglo

Se cumplían cincuenta años de las explosiones atómicas que habían aniquilado Hiroshima y Nagasaki.

La Smithsonian Institution anunció, en Washington, una gran exposición.

La muestra iba a incluir mucha información documental y numerosas opiniones de científicos, historiadores especializados y expertos militares. También iba a ofrecer testimonios de los protagonistas, desde el coronel que comandó los bombardeos, a quien aquel asunto nunca le había quitado el sueño, hasta algunos japoneses sobrevivientes, que habían perdido el sueño y todo lo demás.

Los visitantes de la exposición corrían el peligro de enterarse de que la multitud asesinada desde el cielo estaba formada, en su mayoría, por mujeres y niños. Y, peor todavía, la amplia documentación reunida podía informarles que las bombas no habían sido arrojadas para ganar la guerra, porque la guerra ya había sido ganada, sino para intimidar a la Unión Soviética, que era el próximo enemigo.

Para evitar esos graves riesgos, la muestra se anunció, pero nunca ocurrió. Todo se redujo a la exhibición del Enola Gay, el avión que había descargado las bombas, para que los patriotas fervorosos pudieran besarle la nariz.

# El sastre

Juró que iba a volar. Lo juró por todos los ojales que había abierto y los botones que había colocado y por los incontables trajes y vestidos y abrigos que había medido, recortado, hilvanado y cosido, puntada tras puntada, a lo largo de los días de su vida.

Y desde entonces, el sastre Reichelt consagró todo su tiempo a la confección de unas enormes alas de murciélago. Las alas eran plegables, para que pudieran entrar en la covacha donde él tenía taller y vivienda.

Por fin, al cabo de mucho trabajo, quedó lista esa complicada armazón de tubos y varillas de metal, toda recubierta de tela.

El sastre pasó la noche sin dormir, rogando a Dios que le regalara un día de viento. Y a la mañana siguiente, una mañana de aire fuerte del año 1912, subió a lo más alto de la torre Eiffel, desplegó sus alas y voló su muerte.

# El avión

Flameaban, altas, las banderas.

Las autoridades espantaban las vacas que se metían a pastar en la pista.

Nadie había faltado. El pueblo entero de Lorica llevaba horas esperando. Encajes, lacitos, corbatas: almidonados como para boda o bautismo, clavados los ojos en el cielo, todos se achicharraban al sol sin ninguna queja.

Desde lejos, lo vieron venir. Y tragaron saliva. Y cuando el esperado se lanzó a tierra, el ruido de guerra y el latigazo de viento provocaron una estampida general en la concurrencia.

Nunca se había visto un avión en el pueblo de Lorica.

La multitud, boquiabierta, miraba de lejos. A la distancia se adivinaba un brillo envuelto en neblina de polvo rojo. Ya las hélices habían dejado de girar. Un valiente rompió filas, corrió hacia el jamás visto y a la vuelta informó que olía a jabón.

Cuando estalló la música, dos orquestas que al mismo tiempo tocaban el himno patrio y un popurrí de vallenatos, la multitud atropelló. Los pasajeros fueron bajados en andas y el piloto se ahogó en un mar de flores. Celebrando la aparición del venido del cielo, se echó a correr el trago fuerte y se desató la parranda, dale y dale, en las calles del pueblo.

El avión había hecho una escala, una paradita para seguir viaje hacia otros rumbos, pero ya no pudo despegar.

—*Ése fue el primer secuestro aéreo de la historia de Colombia* —cuenta David Sánchez-Juliao, el más joven de los secuestradores.

# Vuelo sin mapa

Ella era el avión. Tendida en la noche, volaba.

De pronto, se dio cuenta de que había perdido el rumbo, y ni siquiera recordaba adónde debía ir.

A los pasajeros, los pasajeros que su cuerpo contenía, no les importaba nada ese despiste. Todos estaban muy ocupados bebiendo, comiendo, fumando, charlando y bailando, porque en el avión de su cuerpo había espacio de sobra, sonaba buena música y nada estaba prohibido.

Tampoco ella estaba preocupada. Había olvidado su destino, pero las alas, sus brazos desplegados, rozaban la luna y giraban entre las estrellas, dando vueltas por el cielo, y era muy divertido eso de andar atravesando la noche hacia ningún lugar.

Helena despertó en la cama, en el aeropuerto.

# Instrucciones de vuelo

El médico, Oriol Vall, se iba. Había estado un buen tiempo allí, en el pueblo de Ajoya, perdido en la sierra, compartiendo los trabajos y los días de la gente, y era llegada la hora de partir.

Dijo adiós, casa por casa. Y en el minúsculo dispensario de la comunidad, se detuvo a explicar el asunto a María del Carmen, que tanto lo había ayudado.

—*Me vuelvo a España, doña María.*

—*¿Y está lejos España?*

Ella no había llegado nunca más allá del río Gavilanes. Oriol le garabateó un mapa, para que se hiciera una idea. Había que cruzar la mar, la mar entera.

—*Ha de ser un barco muy grande, para tanta agua.*

Él intentó explicar, con las palabras y las manos. Y María del Carmen, que nunca había visto, ni de lejos, un avión, lo interrumpió:

—*Sí, sí, ya entendí. Lo que usted quiere decirme es que va a viajar dormido en el viento.*

# El tren

—*Es muy fuerte* —anunció el padre—. *Como doscientos bueyes de tiro.*

El hijo, Simón de la Pava, vio un gran chorro de humo alzándose en el horizonte.

Al rato, apareció la poderosa bestia. Venía creciendo desde lejos. Rugía. Aullaba.

Cuando el niño la vio venir, aterrorizado, quiso escapar; pero el padre no le soltó la mano.

Un chirrido de fierros, largo quejido, y el tren paró.

Simón y su padre marcharon desde el valle de Ibagué hasta la meseta de Bogotá, del calor al fresco y del fresco al frío.

El viaje no terminaba nunca.

Resoplando, muerto de sed, el tren bebía ríos de agua en cada estación. Después, llorando, sudando vapores por la barriga, continuaba su traqueteo cuesta arriba.

Los pasajeros llegaron a destino extenuados y cubiertos de hollín y de polvo.

Mientras el padre recogía las valijas, Simón se acercó a la locomotora.

Ella jadeaba. Él le dio unas palmaditas de gratitud en el anca caliente.

# Los pasajeros

A través de los campos y los tiempos, marchaba el tren desde Sevilla hacia Morón de la Frontera. Y a través de la ventana, el poeta Julio Vélez contemplaba, con ojos cansados, las arboledas y las casas que huían en ráfagas, mientras su memoria deambulaba por las geografías y los años.

Sentado frente a Julio, iba un turista. El turista quería practicar su dificultosa lengua castellana, pero Julio andaba quién sabe por dónde, buscando alguna certeza que se le había ido, alguna palabra o mujer que se le había perdido.

—*¿Usted es andaluz?* —preguntó el turista.

Julio, ausente, asintió.

Y el turista, intrigado, insistió:

—*Pero si es andaluz, ¿por qué está triste?*

# ¿Estás ahí?

Dos trenes ingleses chocan entre sí, a la salida de la estación de Paddington.

Un bombero se abre paso, a golpes de hacha, y entra en un vagón tumbado. A través del humo, que agrega niebla a la niebla, puede ver a los pasajeros caídos unos sobre otros, maniquíes rotos en pedazos entre las maderas en astillas y los hierros retorcidos. La linterna recorre esos despojos buscando, en vano, algún signo de vida.

No se escucha ni un gemido. Sólo rompen el silencio los timbrazos de los teléfonos móviles, que llaman y llaman y llaman desde los muertos.

# Accidente de tránsito

Hasta bien entrado el siglo veinte, los camellos se ocupaban del transporte de gentes y cosas en la isla de Lanzarote.

La estación, el Echadero de los Camellos, estaba en pleno centro del puerto de Arrecife. Leandro Perdomo pasaba siempre por allí, en su infancia, camino de la escuela. Veía muchos camellos, echados o de pie. Una mañana contó cuarenta, pero él no era bueno en matemáticas.

En aquellos años, la isla flotaba fuera del tiempo, mundo antes del mundo, y la gente tenía tiempo para perder el tiempo.

Los camellos iban y venían, a paso lento, a través de las inmensidades del desierto de lava negra. No tenían horario, ni hora de salida ni hora de llegada, pero salían y llegaban. Y nunca hubo accidentes. Nunca, hasta que un camello sufrió un súbito ataque de nervios y arrojó por los aires a su pasajera. La infortunada se partió la cabeza contra una piedra.

El camello enloqueció porque se le cruzó en el camino una rara cosa que tosía, echaba humo y andaba sin patas.

El primer automóvil había llegado a la isla.

# Rojo, amarillo, verde

De la noche a la mañana, ocurrió: unos palos con tres ojos brotaron en las esquinas de la calle principal. Nunca se había visto nada semejante en el pueblo de Quaraí, ni en toda esa región de la frontera.

De a caballo, venidos de lejos, acudían los curiosos. Ataban los caballos en las afueras, por no molestar el tránsito, y se sentaban a contemplar la novedad. Mate en mano, el termo bajo el brazo, esperaban la noche, porque en la noche las luces eran más luces y daba gusto quedarse y mirar, como quien mira las estrellas naciendo en el cielo. Las luces se encendían y se apagaban siempre al mismo ritmo, repitiendo siempre sus tres colores, uno tras otro; pero aquellos hombres de campo, indiferentes al paso de los automóviles y de la gente, no se aburrían del espectáculo.

—*El de aquella esquina es más lindo* —aconsejaba uno.

—*Éste de aquí demora más* —opinaba otro.

Que se sepa, ninguno preguntó nunca para qué servían esos ojos mágicos, que parpadeaban sin cansarse nunca.

# Publicidad

Wagner Adoum conducía su automóvil con la vista siempre clavada al frente, sin echar jamás ni una sola ojeada a los carteles que daban órdenes al borde de las calles de Quito y de las carreteras del país.

—*Yo nunca maté a nadie* —decía—. *Y si tengo los años que tengo y sigo vivo, es porque nunca hice el menor caso a los carteles.*

Gracias a eso, explicaba, se había salvado de morir por ahogo, indigestión, hemorragia o asfixia. Él no había bebido un océano de cocacolas, ni había comido una montaña de hamburguesas, ni se había cavado un cráter en la panza tragando millones de aspirinas, y había evitado que las tarjetas de crédito lo hundieran hasta los pelos en el pantano de las deudas.

# La calle

¿Cuántos millones de personas caben en una sola calle?

Aquel mediodía, todos los habitantes de Buenos Aires andaban por Florida, la única calle todavía caminable de la ciudad. Era un gentío de urbanoides escapados de sus envases, una multitud de piernas que caminaban muy apuradas, como si fuera a durar poco ese espacio de exilio en el reino de los motores.

En medio de aquella muchedumbre, Rogelio García Lupo advirtió que un señor venía acercándose, trabajosamente, a los codazos, hacia él. El señor, de aspecto respetable, abrió los brazos; y Rogelio, sin tiempo para ponerse a pensar, fue abrazado y abrazó. La cara de ese señor le resultaba vagamente conocida. Rogelio no atinó más que a preguntar:

—*¿Quiénes somos?*

# Mapa del mundo

Yo estaba intentando descifrar el alboroto de los pájaros, en las arboledas de la Universidad de Stanford, cuando un viejo profesor se me acercó. El profesor, sabio en alguna especialidad científica, tenía mucha charla guardada. De lo suyo, sabía todo. Yo, que de aquello no sabía nada, nada entendía; pero él era simpático, hablaba suavemente y daba gusto escucharlo.

A cierta altura, lo picó el bichito de la curiosidad y me preguntó de qué país venía. Le contesté; y por sus ojos, estupefactos, me di cuenta de que el nombre del Uruguay no le resultaba muy familiar. Yo ya estaba acostumbrado, pero el profesor fue amable y me hizo un comentario sobre las ropas típicas de mi país. Era evidente que el profesor confundía Uruguay con Guatemala, que en esos días había ocupado, por milagrosa excepción, los titulares de la prensa. Retribuí su gentileza haciéndome guatemalteco en el acto y sin chistar, y dije no sé qué cosa sobre la tormentosa historia de América Central.

—*Central America* —dijo.

Quise creer que había entendido. Por las dudas, no insistí.

Yo bien sabía que muchos de sus compatriotas creen que en el centro de América está Kansas City.

# Distancias

Rafael Gallo, señor de los ruedos, había cumplido gran faena en la plaza de toros de Albacete y había recibido, en trofeo, las orejas y el rabo.

Mientras se quitaba su traje de luces, el diestro decidió:

—*Ahora mismo nos volvemos a Sevilla.*

El ayudante le explicó que no se podía, que ya era muy tarde.

—*Y con lo lejos que está Sevilla...*

Rafael se irguió, estrujó su capa en un puño y mandó:

—*¡Quietoooo!*

Y hecho un relámpago de furia, puso las cosas en su sitio:

—*¿Qué has dicho tú, qué has dicho? Sevilla está donde debe estar. Lo que está lejos es esto.*

# La geografía

En Chicago, no hay nadie que no sea negro. En pleno invierno, en New York, el sol fríe las piedras. En Brooklyn, la gente que llega viva a los treinta años merecería una estatua. Las mejores casas de Miami están hechas de basura. Perseguido por las ratas, Mickey huye de Hollywood.

Chicago, New York, Brooklyn, Miami y Hollywood son los nombres de algunos de los barrios de Cité Soleil, el suburbio más miserable de la capital de Haití.

# El geógrafo

—*El lago Titicaca. ¿Conoce usted?*

—*Conozco.*

—*Antes, el lago Titicaca estaba aquí.*

—*¿Dónde?*

—*Aquí, pues.*

Y paseó el brazo por el inmenso secarral.

Estábamos en el desierto del Tamarugal, un paisaje de cascajos calcinados que se extendía de horizonte a horizonte, atravesado muy de vez en cuando por alguna lagartija; pero yo no era quién para contradecir a un entendido.

Me picó la curiosidad científica. Y el hombre tuvo la amabilidad de explicarme cómo había sido que el lago se había mudado tan lejos:

—*Cuándo fue, no sé. Yo no era nacido. Se lo llevaron las garzas.*

En un largo y crudo invierno, el lago se había congelado. Se había hecho hielo de pronto, sin aviso, y las garzas habían quedado atrapadas por las patas. Al cabo de muchos días y muchas noches de batir alas con todas sus fuerzas, las garzas prisioneras habían conseguido, por fin, alzar vuelo, pero con lago y todo. Se llevaron el lago helado y con él anduvieron por los cielos. Cuando el lago se derritió, cayó. Y allá lejos quedó.

Yo miraba las nubes. Supongo que no tenía cara de muy convencido, porque el hombre preguntó, con cierto fastidio:

—*Y si hay platos voladores, dígame usted, ¿por qué no va a haber lagos voladores? ¿Eh?*

# El albatros

Vive en el viento. Vuela siempre, volando duerme.

El viento no lo cansa ni lo gasta. Es de vida larga: a los sesenta años, sigue dando vueltas y más vueltas alrededor del mundo.

El viento le anuncia de dónde vendrá la tempestad y le dice dónde está la costa. Él nunca se pierde, ni olvida el lugar donde nació; pero la tierra no es lo suyo, ni la mar tampoco. En el suelo, sus patas cortas caminan mal, y en el agua se aburre.

Cuando el viento lo abandona, espera. A veces el viento demora, pero siempre vuelve: lo busca, lo llama, y se lo lleva. Y él se deja llevar, se deja volar, con sus alas enormes planeando en el aire.

# Andando soles

Desde la frontera, Gustavo de Mello me llamó:

—*Venite* —me dijo.

Don Félix estaba allí. Estaba llegando o estaba yéndose, que eso nunca se sabía.

Tampoco se sabía la edad. Mientras nos bajábamos una botella de vino tinto, me confesó noventa años. Algún añito se sacaba, según Gustavo; pero Félix Peyrallo Carbajal no tenía documentos:

—*Nunca tuve. Por no perderlos* —me dijo, mientras encendía un cigarrillo y echaba unos aritos de humo.

Sin documentos, y sin más ropa que la que llevaba puesta, había andado de país en país, de pueblo en pueblo, todo a lo largo del siglo y todo a lo ancho del mundo.

Don Félix iba dejando, a su paso, relojes de sol. Este raro uruguayo que no era jubilado ni quería serlo, vivía de eso: hacía cuadrantes, relojes sin máquinas, y los ofrecía a las plazas de los pueblos. No por medir el tiempo, costumbre que le parecía un agravio, sino por el puro gusto de acompañar los pasos del sol sobre la tierra.

Cuando nos encontramos, en la ciudad de Rivera, ya don Félix estaba empezando a sentirse muy bien. Eso lo tenía preocupado. La tentación de quedarse le daba la orden de irse:

—*¡Lo nuevo, lo nuevo, lo nuevo!* —chilló, golpeteando la mesa con sus manos de niño.

En ese lugar, como en todos los lugares, estaba de paso. Él siempre llegaba para partir. Venía de cien países y de doscientos relojes de sol, y se iba cuando se enamoraba, fugitivo del peligro de echar raíz en una cama o en una casa.

Para irse, prefería el amanecer. Cuando el sol estaba viniendo, se iba. No bien se abrían las puertas de la estación de trenes o autobuses, don Félix echaba al mostrador los pocos billetes que había juntado, y mandaba:

—*Hasta donde llegue.*

# El puerto

La abuela Raquel estaba ciega cuando murió. Pero tiempo después, en el sueño de Helena, la abuela veía.

En el sueño, la abuela no tenía un montón de años, ni era un puñado de cansados huesitos: ella era nueva, era una niña de cuatro años que estaba culminando la travesía de la mar desde la remota Besarabia, una emigrante entre muchos emigrantes. En la cubierta del barco, la abuela pedía a Helena que la alzara, porque el barco estaba llegando y ella quería ver el puerto de Buenos Aires.

Y así, en el sueño, alzada en brazos de su nieta, la abuela ciega veía el puerto del país desconocido donde iba a vivir toda su vida.

# Los emigrantes, hace un siglo

Un mechón de pelo,
una vieja llave que había perdido su puerta,
una pipa que había perdido su boca,
el nombre de alguien bordado en un pañuelo,
el retrato de alguien en marco de óvalo,
una cobija que había sido compartida
y otras cosas y cositas venían, envueltas entre las ropas,
en el equipaje de los desterrados. No era mucho lo que cabía en cada valija, pero en cada una cabía un mundo.
Chueca, destartalada, atada con cordones o mal cerrada
por herrajes quejumbrosos, cada valija era como todas,
pero igual a ninguna.

Los hombres y las mujeres llegados desde lejos se dejaban llevar, como sus valijas, de fila en fila, y se amontonaban, como ellas, esperando. Venían de aldeas invisibles en el mapa, y al cabo de sus largas travesías habían desembarcado en la isla Ellis. Estaban a un paso de la Estatua de la Libertad, que había llegado, poco antes que ellos, al puerto de Nueva York.

En la isla, funcionaba el colador. Los porteros de la Tierra Prometida interrogaban y clasificaban a los inmigrantes, les escuchaban el corazón y los pulmones, les estudiaban los párpados, las bocas y los dedos de los pies, los pesaban y les medían la presión, la fiebre, la estatura y la inteligencia.

Los exámenes de inteligencia eran los más difíciles. Muchos de los recién llegados no sabían escribir, o no atinaban más que a balbucear palabras incomprensibles en lenguas desconocidas. Para definir su coeficiente intelectual, debían contestar, entre otras preguntas, cómo se barría una escalera: ¿Se barría hacia arriba, hacia abajo o hacia los costados? Una muchacha polaca respondió:

—*Yo no he venido a este país para barrer escaleras.*

# El vuelo de los años

Cuando llega el otoño, millones y millones de mariposas inician su largo viaje hacia el sur, desde las tierras frías de la América del Norte.

Un río fluye, entonces, a lo largo del cielo: el suave oleaje, olas de alas, va dejando, a su paso, un esplendor de color naranja en las alturas. Las mariposas vuelan sobre montañas y praderas y playas y ciudades y desiertos.

Pesan poco más que el aire. Durante los cuatro mil kilómetros de travesía, unas cuantas caen volteadas por el cansancio, los vientos o las lluvias; pero las muchas que resisten aterrizan, por fin, en los bosques del centro de México.

Allí descubren ese reino jamás visto, que desde lejos las llamaba.

Para volar han nacido: para volar este vuelo. Después, regresan a casa. Y allá en el norte, mueren.

Al año siguiente, cuando llega el otoño, millones y millones de mariposas inician su largo viaje...

# Los emigrantes, ahora

Desde siempre, las mariposas y las golondrinas y los flamencos vuelan huyendo del frío, año tras año, y nadan las ballenas en busca de otra mar y los salmones y las truchas en busca de sus ríos. Ellos viajan miles de leguas, por los libres caminos del aire y del agua.

No son libres, en cambio, los caminos del éxodo humano.

En inmensas caravanas, marchan los fugitivos de la vida imposible.

Viajan desde el sur hacia el norte y desde el sol naciente hacia el poniente.

Les han robado su lugar en el mundo. Han sido despojados de sus trabajos y sus tierras. Muchos huyen de las guerras, pero muchos más huyen de los salarios exterminados y de los suelos arrasados.

Los náufragos de la globalización peregrinan inventando caminos, queriendo casa, golpeando puertas: las puertas que se abren, mágicamente, al paso del dinero, se cierran en sus narices. Algunos consiguen colarse. Otros son cadáveres que la mar entrega a las orillas prohibidas, o cuerpos sin nombre que yacen bajo tierra en el otro mundo adonde querían llegar.

Sebastião Salgado los ha fotografiado, en cuarenta países, durante varios años. De su largo trabajo, quedan trescientas imágenes. Y las trescientas imágenes de esta inmensa desventura humana caben, todas, en un segundo. Suma solamente un segundo toda la luz que ha entrado en la cámara, a lo largo de tantas fotografías: apenas una guiñada en los ojos del sol, no más que un instantito en la memoria del tiempo.

# La historia que pudo ser

Cristóbal Colón no consiguió descubrir América, porque no tenía visa y ni siquiera tenía pasaporte.

A Pedro Alvares Cabral le prohibieron desembarcar en Brasil, porque podía contagiar la viruela, el sarampión, la gripe y otras pestes desconocidas en el país.

Hernán Cortés y Francisco Pizarro se quedaron con las ganas de conquistar México y Perú, porque carecían de permiso de trabajo.

Pedro de Alvarado rebotó en Guatemala y Pedro de Valdivia no pudo entrar en Chile, porque no llevaban certificados policiales de buena conducta.

Los peregrinos del Mayflower fueron devueltos a la mar, porque en las costas de Massachusetts no había cuotas abiertas de inmigración.

# La expulsión

En el mes de marzo del año 2000, sesenta haitianos se lanzaron a las aguas del mar Caribe, en un barquito de morondanga.

Los sesenta murieron ahogados.

Como era una noticia de rutina, nadie se enteró.

Los tragados por las aguas habían sido, todos, cultivadores de arroz.

Desesperados, huían.

En Haití, los campesinos arroceros se han convertido en balseros o en mendigos, desde que el Fondo Monetario Internacional prohibió la protección que el estado brindaba a la producción nacional.

Ahora Haití compra el arroz en los Estados Unidos, donde el Fondo Monetario Internacional, que es bastante distraído, se ha olvidado de prohibir la protección que el estado brinda a la producción nacional.

# Adioses

Como si fuera cumpleaños, pero no era. Bajo las guirnaldas de luces, flores y serpentinas, brotaban manjares de maíz de las ollas humeantes, se derramaba a chorros el diablo embotellado y los pies levantaban polvareda al son de las guitarras y las quenas.

Cuando el sol asomó, unos cuantos invitados roncaban en los rincones.

Los despiertos despidieron al que se iba. Él se iba con lo puesto, y con un pasaporte de la República del Ecuador. Le regalaron una manta, para engalanar el viaje. Se fue a lomo de mula, y a poco andar se desvaneció en las montañas.

No era el primero.

En el pueblo sólo quedaban los niños y los viejos.

De los idos, ninguno volvió.

Los invitados se quedaron a comentar la fiesta:

—*Pasamos liiiiiiindo. ¡Lo que hemos llorado!*

# La partida

Esta mujer se marcha al norte. Sabe que puede morir de ahogo en la travesía del río, y de bala, sed o serpiente en la travesía del desierto.

Dice adiós a sus hijos, queriendo decirles hasta luego.

Y ya yéndose de Oaxaca, se arrodilla ante la Virgen de Guadalupe, en un altarcito de paso, y le ruega el milagro:

—*No te pido que me des. Te pido que me pongas donde hay.*

# La llegada

Sin documentos, sin dinero, sin nada, se echó a caminar desde su aldea de Sierra Leona. La madre regó con agua sus primeras huellas, para darle suerte en el viaje.

De los que con él salieron, ninguno llegó. Algunos fueron atrapados por la policía, y otros fueron comidos por la arena o la mar. Pero él ha conseguido entrar en Barcelona. Junto a otros sobrevivientes de otras odiseas, hace noche en la plaza Cataluña. Yace sobre el suelo de piedra, cara al cielo.

En el cielo, que poco se ve, busca sus estrellas. Aquí no están.

Quisiera dormir, pero nunca se apagan las luces de la ciudad. Aquí la noche es día también.

# Ceremonia

El Chato llevaba muchos años detrás de aquel mostrador. Servía bebidas, a veces las inventaba. Callaba, a veces escuchaba. Conocía las costumbres y las manías de cada uno de los clientes que venían, noche tras noche, a mojar la garganta.

Había un hombre que llegaba siempre a la misma hora, a las ocho en punto de cada noche, y pedía dos copas de vino blanco seco. Pedía las dos a la vez y las bebía él solo, un sorbo de una copa, un sorbo de la otra. Muy lentamente, en silencio, el hombre vaciaba sus dos copas, pagaba y se marchaba.

El Chato tenía la costumbre de no preguntar. Pero una noche el hombre le leyó alguna curiosidad en los ojos; y como quien no quiere la cosa, contó. Dijo que su amigo más amigo, su amigo de siempre, se había ido. Harto de correr la liebre, se había ido muy lejos del Uruguay, y ahora estaba en Canadá.

—*Allá le va muy bien* —dijo.

Y después dijo:

—*No sé si le va muy bien.*

Y se calló la boca.

Desde que su amigo se había ido, los dos se encontraban cada noche, a las ocho en punto, hora de Montevideo, él en este bar de aquí y su amigo en un bar de allá, y bebían una copa juntos.

Y así pasó el tiempo, noche tras noche.

Hasta que una vez el hombre llegó con la puntualidad de siempre pero pidió una sola copa. Y bebió, lento, callado, quizás un poco más lento y callado que de costumbre, hasta la última gota de esa única copa.

Y cuando pagó la cuenta y se levantó para marcharse, el Chato hizo lo que nunca: lo tocó. Estiró el brazo sobre el mostrador y lo tocó:

—*Mi pésame* —dijo.

# Exilio

Leonardo Rossiello vino del norte del mundo. El viaje desde Estocolmo hasta Montevideo se complicó, hubo no sé qué problemas con las conexiones de los vuelos, y por fin Leonardo llegó, muy tarde en la noche, en un avión que nadie esperaba.

Ante la puerta de la casa de sus padres, vaciló:

—¿Los despierto? ¿No los despierto?

Hacía años que vivía lejos, el tiempo del exilio, los años ciegos de la dictadura militar, y estaba loco de ganas de ver a su gente. Pero decidió que mejor esperaba.

Se echó a caminar por la vereda, la vereda de su infancia, y sintió que las baldosas le reconocían los pies. Se le llenó la cabeza de noticias viejas y chistes malos, y todo le parecía nuevo y divertidísimo. Era una helada noche de invierno, la ciudad estaba envuelta en escarcha, pero él agradecía esos aires del trópico.

Leonardo demoró un buen rato en darse cuenta de que estaba cargando una valija, y que la valija pesaba más que un cementerio completo. Entonces cruzó la calle, atravesó el campo baldío y se sentó sobre la valija, de espaldas contra una pared.

El frío no lo dejaba dormir. Cuando se levantó, a la luz de la luna vio que esa pared estaba llena de cicatrices: había garabatos y palabras, corazones flechados, promesas de amor y agravios de desamor, y hasta alguna calumnia *(La María tiene celulitis).*

Y Leonardo pudo leer, también, unas letras medio borroneadas, que preguntaban:

*Y entonces, ¿dónde estabas? ¿Diciendo qué palabras? ¿Hablando con qué gente?*

# Exiliados

Habían pasado ya unos cuantos años desde el fin de la guerra de España, pero todavía los vencidos la continuaban, en las tardes, discutiendo a gritos en los cafés de Montevideo; y en las noches consolaban la derrota en las vinerías, cantando, abrazados, sus canciones de las trincheras.

Uno de los exiliados, que había peleado en el frente republicano desde el principio hasta el fin, me contaba la guerra, paso a paso, en la cocina de su casa. Las batallas ocurrían sobre el mantel.

Las cucharitas, el azucarero y las tazas de café con leche señalaban las posiciones de los milicianos y de las tropas de Franco. Un cuchillo se inclinaba y disparaba un cañonazo, que volteaba el tarro de mermelada, rojo de sangre. Los vasos, los tanques, avanzaban rodando sobre las tostadas, que aplastadas crujían. Los aviones de Hitler arrojaban naranjas y panes que estremecían la mesa y arrasaban los escarbadientes, que eran la infantería. En aquella mesa del desayuno, me dolían en los oídos y en el alma los truenos de las bombas, la tormenta de la metralla y los aullidos de las víctimas.

# La trama del tiempo

Tenía cinco años cuando se fue.

Creció en otro país, habló otra lengua.

Cuando regresó, ya había vivido mucha vida.

Felisa Ortega llegó a la ciudad de Bilbao, subió a lo alto del monte Artxanda y anduvo el camino, que no había olvidado, hacia la casa que había sido su casa.

Todo le parecía pequeño, encogido por los años; y le daba vergüenza que los vecinos escucharan los golpes de tambor que le sacudían el pecho.

No encontró su triciclo, ni los sillones de mimbre de colores, ni la mesa de la cocina donde su madre, que le leía cuentos, había cortado de un tijeretazo al lobo que la hacía llorar. Tampoco encontró el balcón, desde donde había visto los aviones alemanes que iban a bombardear Guernica.

Al rato, los vecinos se animaron a decírselo: no, esta casa no era su casa. Su casa había sido aniquilada. Ésta que ella estaba viendo se había construido sobre las ruinas.

Entonces, alguien apareció, desde el fondo del tiempo. Alguien que dijo:

—*Soy Elena.*

Se gastaron abrazándose.

Mucho habían corrido, juntas, en aquellas arboledas de la infancia.

Y dijo Elena:

—*Tengo algo para ti.*

Y le trajo una fuente de porcelana blanca, con dibujos azules.

Felisa la reconoció. Su madre ofrecía, en esa fuente, las galletitas de avellanas que hacía para todos.

Elena la había encontrado, intacta, entre los escombros, y se la había guardado durante cincuenta y ocho años.

# El pie

Muchos no volvieron. Muchos de los ciudadanos del mundo que marcharon a luchar por la república española, bajo tierra española quedaron.

Abe Osheroff, de la Brigada Lincoln, sobrevivió.

Un balazo le había arruinado una pierna. Con un pie quieto y el otro pie caminando, regresó a su país.

España fue su primera guerra perdida. Y desde entonces, llevado por su pie andariego, Abe no paró.

A pesar de las traiciones y las derrotas, los palos y las cárceles, no paró. Un pie no podía, pero el otro pie quería y seguía. Un pie le decía: *aquí me quedo,* pero el otro decidía: *ahí te llevo.* Y una y otra vez ese pie, el andante, volvía al camino, porque el camino es el destino.

Y ese pie cargaba con Abe a través de los Estados Unidos, de punta a punta, de mar a mar, y lo metía en líos, un lío tras otro, contra la cacería de brujas de MacCarthy y la guerra de Corea y la segregación racial y la pena de muerte y el golpe de estado en Irán y el crimen de Guatemala y la carnicería de Vietnam y el baño de sangre en Indonesia y las explosiones nucleares y el bloqueo de Cuba y el cuartelazo en Chile y la asfixia de Nicaragua y la invasión de Panamá y los bombardeos de Irak y de Yugoslavia y de Afganistán y otra vez Irak y…

Abe ya tenía noventa años y seguía siendo un caminante, cuando su amigo Tony Geist le preguntó, por preguntar nomás, cómo andaba. Él alzó su cabeza de león de melena blanca y sonrió, de oreja a oreja:

—*Aquí ando, con un pie en la tumba y el otro pie bailando.*

# El camino de Jesús

Clavado de una sola mano, Jesús de Nazaret colgaba de los restos de una pared quemada. El otro Jesús, el de Cambre, colgaba de un andamio.

Jesús Babío, nacido en el pueblo de Cambre, era maestro albañil, maestro carpintero, maestro fontanero y maestro blasfemador. Hacía bien todo lo que hacía, pero él había andado mundo y bien sabía que no había en el mundo quien pudiera superarlo en el arte de la blasfemia, que es, como la mística, un arte español. Y a blasfemazo limpio estaba Jesús, el de Cambre, reconstruyendo la iglesia de Santa María de Vigo, que había sido incendiada por los rojos en los años de la guerra, mientras Jesús, el de Nazaret, negro de tizne, escuchaba, sin una mueca, aquellos homenajes:

—Me cago en las bisagras del sagrario y en los clavos de Cristo y en sus llagas y en sus espinas y me cago en la inmaculada madre que lo parió.

De vez en cuando, Ángel Vázquez de la Cruz se metía, de a caballo, en la iglesia en ruinas. Desde lo alto del andamio, mientras martillaba alguna cuña de madera, Jesús le contaba, entre blasfemia y blasfemia, alguna historia de sus viajes al extranjero. Aquel obrero errante había trabajado en Inglaterra, Holanda, Noruega, Alemania, y hasta en Cataluña.

Sus relatos siempre terminaban igual. Con el martillo señalaba el ventanal, invadido por los pájaros, y más allá señalaba el sendero del bosque de Cambre. Nadie aparecía por allí, como no fuera algún lugareño que llevaba, montado en burro, una carga de leña. El sendero era no más que un tajo de polvo entre los árboles.

—¿Lo ve? —preguntaba. Y sentenciaba:

—*Yo anduve muchos caminos. Y me cago en el camino del Calvario, en el camino de Santiago y en todas las autopistas. Porque sepa usted, vaya sabiendo, que todo lo que hay para ver en el mundo, y en el alto cielo, pasa por ese caminito ahí.*

# Itinerario de las hormigas

Las hormigas del desierto asoman desde las profundidades y se lanzan a los arenales.

Buscan comida por aquí, por allá; y en sus andanzas se van apartando de su casa más y más.

Mucho después regresan, desde lejos, cargando a duras penas los alimentos que han encontrado donde nada había.

El desierto se burla de los mapas. La arena, revuelta por el viento, nunca está donde estaba. En esa ardiente inmensidad, cualquiera se pierde. Pero las hormigas recorren el camino más corto hacia su casa. Marchando en línea recta, sin vacilar, vuelven al exacto punto de salida, y excavan hasta encontrar el minúsculo orificio que conduce a su hormiguero. Jamás confunden el rumbo, ni se meten en agujero ajeno.

Nadie entiende cómo pueden saber tanto estos cerebritos que pesan un miligramo.

# La ruta de los salmones

A poco de nacer, los salmones abandonan sus ríos y se marchan a la mar.

En aguas lejanas pasan la vida, hasta que emprenden el largo viaje de regreso.

Desde la mar, remontan los ríos. Guiados por alguna brújula secreta, nadan a contracorriente, sin detenerse nunca, saltando a través de las cascadas y de los pedregales. Al cabo de muchas leguas, llegan al lugar donde nacieron.

Vuelven para parir y morir.

En las aguas saladas, han crecido mucho y han cambiado de color. Llegan convertidos en peces enormes, que del rosa pálido han pasado al naranja rojizo, o al azul de plata, o al verdinegro.

El tiempo ha transcurrido, y los salmones ya no son los que eran. Tampoco su lugar es el que era. Las aguas transparentes de su reino de origen y destino están cada vez menos transparentes, y cada vez se ve menos el fondo de grava y rocas. Los salmones han cambiado y su lugar también ha cambiado. Pero ellos llevan millones de años creyendo que el regreso existe, y que no mienten los pasajes de ida y vuelta.

# La pobreza

Las estadísticas dicen que son muchos los pobres del mundo, pero los pobres del mundo son muchos más que los muchos que parece que son.

La joven investigadora Catalina Álvarez Insúa ha señalado un criterio útil para corregir los cálculos:

—*Pobres son los que tienen la puerta cerrada* —dijo.

Cuando formuló su definición, ella tenía tres años de edad. La mejor edad para asomarse al mundo, y ver.

# La puerta cerrada

Desde las perdidas comunidades de El Gran Tunal, Pedro y su burro, el Chaparro, marcharon a la ciudad de México.

Pedro iba más a pie que montado. Montaba de a ratos nomás, por no atormentar la cansada espalda del Chaparro. Ya estaban, los dos, pasaditos de años; y era largo el viaje.

Caminando los días, poco a poco, llegaron por fin a la gran plaza del Zócalo. Y se plantaron a las puertas del Palacio Nacional, donde vive el poder.

Esperando audiencia, se quedaron. Pedro y el Chaparro venían a contar lo que pasaba y a exigir justicia: acorralados en tierras de pedrerío y polvareda, que les daban de comer un menú fijo de piedra y polvo, los indios de las comunidades de El Gran Tunal, oficialmente extintos, no figuraban ni en las estadísticas; y allá la justicia estaba más lejos que la luna porque la luna, al menos, se ve.

No hubo manera de echarlos. Los sacaban de la plaza, y volvían. Ni modo. Ni por las buenas, ni a palos. El Chaparro ponía cara de burro y Pedro ponía cara de no te gastes, que ya llevamos cinco siglos en esto.

A fines del año 1997, a los ochenta y siete años de su edad, casi muerto de tanto respirar los aires envenenados de la ciudad de México, Pedro tuvo que aceptar la primera inyección de su vida. Y siguió acampado, como si tal cosa, mientras el Chaparro hacía oídos sordos a las calumnias de la prensa, que lo llamaban *medio de transporte*.

Pedro y el Chaparro residieron en la intemperie, frente al Palacio Nacional, durante un año, dos meses y quince días. Entonces, emprendieron el regreso.

La puerta no se había abierto, pero algo habían conseguido estos dos porfiados: habían conseguido que su gente dejara de ser invisible.

A poco de volver, tras la extenuante caminata, el Chaparro murió. O quizá se dejó morir, humillado, porque en el viaje comprobó que el poder era un señor más burro que él. Desde entonces, comparte una nube, allá en el alto cielo, con el caballo blanco de Emiliano Zapata.

# Una clase de Derecho

Están haciendo cola los pobres de absoluta pobrecía. La ley se despierta temprano, hoy atiende el doctor a primera hora.

El abogado ve que en la cola espera una anciana con un racimo de niños y un bebé en brazos. Cuando le llega el turno, ella muestra sus papeles. Los niños no son nietos: esa mujer tiene treinta años y nueve hijos.

Viene a pedir ayuda. Ella había levantado un rancho de lata y madera en algún lugar de las orillas del Cerro de Montevideo. Creía que era tierra de nadie, pero era de alguien. Y ahora van a echarla de allí, ya le ha llegado esa cosa que se llama lanzamiento.

El abogado la escucha. Revisa los papeles que ella ha traído.

*No hay derecho,* piensa el doctor en Derecho: menea la cabeza, demora en hablar. Traga saliva y dice, mirando al suelo:

—*Lo lamento, señora, pero... no hay nada que hacer.*

Cuando alza la mirada, ve que la hija mayor, una muchachita con cara de espanto, se está tapando las orejas con las manos.

# Una clase de Medicina

Rubén Omar Sosa escuchó la lección de Maximiliana en un curso de terapia intensiva, en Buenos Aires. Fue lo más importante de todo lo que aprendió en sus años de estudiante.

Un profesor contó el caso. Doña Maximiliana, muy cascada por los trajines de una larga vida sin domingos, llevaba unos cuantos días internada en el hospital, y cada día pedía lo mismo:

—*Por favor, doctor, ¿podría tomarme el pulso?*

Una suave presión de los dedos en la muñeca, y él decía:

—*Muy bien. Setenta y ocho. Perfecto.*

—*Sí, doctor, gracias. Ahora, por favor, ¿me toma el pulso?*

Y él volvía a tomarlo, y volvía a explicarle que estaba todo bien, que mejor imposible.

Día tras día, se repetía la escena. Cada vez que él pasaba por la cama de doña Maximiliana, esa voz, ese ronquido, lo llamaba, y le ofrecía ese brazo, esa ramita, una vez, y otra vez, y otra.

Él obedecía, porque un buen médico debe ser paciente con sus pacientes, pero pensaba: *Esta vieja es un plomo.* Y pensaba: *Le falta un tornillo.*

Años demoró en darse cuenta de que ella estaba pidiendo que alguien la tocara.

# Maternidad

Tertuliana Queiroz espera en algún lugar de Ceará.

Ella espera, sus hijos esperan.

Tuvo quince.

A un recién nacido lo dejó en la puerta de la iglesia. A una hija ya crecida la cambió por una vaca.

En otros tiempos, hablaba de corrido. Ahora le cuesta.

Me quedan ocho, dice.

Cuenta con los dedos, susurra nombres. No, dice: siete.

Los otros murieron, de muerte morida o de muerte matada.

Mira al cielo, con ojos de sonámbula.

Dios los llamó, dice.

Ella tiene costumbre.

# Día de la Madre

Recibo, por correo, un folleto de ofertas para este día tan especial.

Ahí está lo mejor que uno puede regalar a la abnegada autora de sus días. *Noches tranquilas*, promete el folleto, que a precios razonables vende alarmas de control remoto, sirenas antivándalos, llaves electrónicas de seguridad, rejas invulnerables, cámaras de vigilancia, sensores infrarrojos con lente triple y sensores magnéticos para puertas y portones.

# Trajes de época

El vestuario del nuevo siglo puede ser admirado en el centro de alta costura de Miguel Caballero, en Bogotá.

Esta joven empresa, especializada en la moda del tiempo, es la más exitosa del país. Vende mucho, aquí y en el extranjero; y da mucho dinero y envidia.

—*En mi oficio, no hay derecho al error* —explica el empresario, mientras prueba un nuevo modelo disparando una pistola al pecho de alguno de sus empleados.

El miedo ya no está desnudo. Al servicio de la seguridad pública y de la elegancia privada, Caballero produce ropa blindada.

Sus prendas, invulnerables, están protegidas por una fibra sintética cinco veces más resistente que el acero. Se ofrecen diversos pesos y diseños: hay camisetas de un kilo, impermeables de cuatro; abrigos de cuero o de pelo de camello; trajes de fiesta, ropa deportiva, chalecos decorados con corazones...

# Indicios

No se sabe si ocurrió hace siglos, o hace un rato, o nunca.

A la hora de ir a trabajar, un leñador descubrió que le faltaba el hacha. Observó a su vecino y comprobó que tenía el aspecto típico de un ladrón de hachas: la mirada, los gestos, la manera de hablar...

Unos días después, el leñador encontró su hacha, que estaba caída por ahí.

Y cuando volvió a observar a su vecino, comprobó que no se parecía para nada a un ladrón de hachas, ni en la mirada, ni en los gestos, ni en la manera de hablar.

# Evidencias

*Buenas noches*, saluda la voz grave, y a continuación anuncia lo peor: *Miedo, impotencia, desamparo...*

La televisión ofrece su más exitoso cóctel de sangre y de pánico. El programa de la TV Globo, que estremece a millones de brasileños, relata las ferocidades de la fauna criminal contra la población indefensa.

Agosto de 1999: es el turno de Marcos Capeta, el heredero de los cangaceiros, el terror de Bahía.

Los actores profesionales dramatizan la función. Un primer plano muestra los rostros atónitos de los policías. La fiera apunta su ametralladora, que en un minuto dispara dos mil balas tres veces más veloces que el sonido. La camioneta policial estalla. En la puesta en escena, no faltan los efectos especiales: las llamas de la explosión dibujan, en el aire, el rostro del asesino, que cínicamente sonríe.

La televisión lo acusa y lo juzga. Lo condena, sin escucharlo, y lo marca para morir. No será fácil. Marcos Capeta es el jefe de una banda numerosa.

Se desata la fulminante cacería. De la ejecución se encargan las fuerzas del orden.

En el programa siguiente, la inmensa teleplatea suspira y aplaude. Las pantallas exhiben el trofeo. Al cabo de un largo combate, la sociedad tiene un enemigo menos.

Nilo Batista se toma el trabajo de leer el expediente judicial y el informe policial. El forajido ha caído, acribillado, en una casa solitaria. No tenía, ni había tenido, ninguna ametralladora, y su banda numerosa consistía de un niño de catorce años, que ha muerto a su lado.

# El alegato

—*Declare su versión de los hechos* —mandó el juez.

El escribiente, las manos en el teclado, transcribió los dichos del acusado, conocido por su apodo de El Tornillo, residente en la ciudad de Melo, mayor de edad, de estado civil soltero, de profesión desocupado.

El acusado no negó su responsabilidad en el delito que se le imputaba. Sí, él había estrangulado una gallina que no era de su propiedad. Alegó:

—*Tuve que matarla. Hacía tiempo que me chiflaba la panza vacía.*

Y concluyó:

—*Fue en defensa propia, señor juez.*

# La sentencia

Estábamos en rueda de vinos, empanadas y cantarolas, con el Perro Santillán, el Diablero Arias y otros amigos, cuando alguien invitó al Petete, que era finado, y el Petete vino a echarse unos tragos con nosotros.

Yo no lo conocía, pero ese mediodía, bebiendo y cantando con este petizo panzón, nos hicimos amigos. Y él me contó que había muerto porque siendo pobre tuvo la pésima idea de enfermarse. La diabetes lo atacó en plena noche y el hospital de Jujuy no tenía insulina.

# La cárcel

En 1984, enviado por alguna organización de derechos humanos, Luis Niño recorrió las galerías de la cárcel de Lurigancho, en Lima.

Luis se hundió en aquella soledad amontonada. A duras penas se abrió paso entre los presos haraposos o desnudos.

Después, pidió hablar con el director de la cárcel. El director no estaba. Lo recibió el jefe de los servicios médicos.

Luis dijo que había visto algunos presos en agonía, vomitando sangre, y a muchos más humeando fiebres y comidos por las llagas, y no había visto ningún médico. El jefe explicó:

—*Los médicos sólo entramos en acción cuando nos llaman los enfermeros.*

—*¿Y dónde están los enfermeros?*

—*No tenemos presupuesto para pagar enfermeros.*

# La ejecución

La silla eléctrica se ensayó por primera vez el 30 de julio de 1888.

Ese día, la ciudad de Nueva York, vanguardia del progreso universal, dejó atrás la bárbara costumbre de la horca y el verdugo encapuchado. La civilización inauguró la muerte científica, súbita, segura y sin dolor.

Numerosos invitados presenciaron el acontecimiento.

El prisionero, amordazado y atado con gruesas correas, recibió una descarga de trescientos voltios. Se sacudió y gimió, pero no murió.

El dínamo le lanzó cuatrocientos voltios. Hubo espasmos más violentos. Seguía vivo.

Cuando le aplicaron setecientos voltios, el bozal estalló, en un chorro de sangre espumosa, y se escuchó un aullido ronco y lejano.

El cuarto bombardeo lo aniquiló.

El ejecutado era un perro llamado Dash.

Había sido condenado, sin pruebas, por morder a dos personas en la calle.

# Entierro de pobre

Según dicen los que saben, Malverde fue llamado así porque entre lo verde se escondía y se disfrazaba de árbol para despistar a la policía mexicana.

Hay quienes dicen que nunca existió este ladrón que repartía lo que robaba; pero nadie niega que existe. Aunque no es santo del Vaticano, tiene capilla propia en Culiacán, a unos pasos del palacio donde gobierna el gobierno. El gobierno promete milagros. Malverde los hace.

Desde la sierra y desde la mar, acuden los peregrinos, que en la capilla dejan sus gratitudes: las hojas del primer maíz de mi cosecha, mi primer camarón pescado en la temporada, la bala que no me mató.

En el altar, hay una hilera de limones. Cada creyente se lleva uno. Comidos solos, los limones limpian la boca. Comidos con fe, limpian el alma y dan buena suerte.

La capilla se alza en el lugar donde Malverde quedó tirado, cuando lo acribillaron a balazos. Eso fue hace muchos años. Prohibieron el entierro; y ahí empezó la pedrea. De todas partes venía gente a tirar piedras. Feliz estaba la autoridad, viendo cómo la ciudadanía apedreaba al bandido. Una alta pirámide de piedras cubrió a Malverde.

Mintiendo castigo, el pueblo le dio casa.

# Entierro de lujo

Jorge Aguilar, piloto de avión, ocupa un panteón de tres pisos, siempre encendido. Los vidrios polarizados lucen una decoración de alas de águila, que rinde homenaje al oficio y al nombre de este mártir de la libertad de comercio.

Tampoco conoce la oscuridad el mausoleo del Lobito Retamoza, un partenón de seis columnas, iluminado por energía solar.

El doctor Antonio Fonseca, acribillado en las calles de Guadalajara junto con su esposa y toda su escolta, yace en una enorme cripta fosforescente, rodeado por grandes fotos de sus seres queridos y un retrato, a todo color, de Jesucristo en actitud pensativa.

Está lleno de luz, y de ángeles de mármol y de juguetes de plástico, el sepulcro de los hijitos del Güero Palma, que fueron arrojados al vacío, desde gran altura, en injusto acto de venganza.

Los narcotraficantes y sus familiares habitan un barrio de lujo, los Jardines del Humaya, en el cementerio de Culiacán. Todos sus monumentos funerarios tienen teléfono, por si resucitan.

Los cumpleaños de los finados se celebran a lo largo de varios días con sus noches, y las bandas de música tocan sin parar, acompañando la bebedera. Son fiestas pacíficas. Solamente una vez sonaron balazos, pero fue porque uno de los músicos, alegando cansancio, se negó a seguir.

—*Desde entonces, no hay filarmónico que se raje* —explica Ernesto Beltrán, cuidador y sepulturero, mientras recoge botellas vacías.

# La disciplina

El jurista y filósofo británico Jeremy Bentham había inventado una aritmética moral que le permitía medir el Bien y el Mal.

Contra el Mal creó, en 1787, la cárcel perfecta. La llamó Panóptico. Era un gran cilindro de celdas, dispuestas en anillo alrededor de una torre central. Desde la torre, el ojo del vigilante vigilaba, y los vigilados no podían ver el ojo que los veía. El proyecto de cárcel podía servir también como manicomio, fábrica, cuartel o escuela.

En muchos países del mundo se puso en práctica, en los años siguientes, esta arquitectura del poder, que Bentham había diseñado "para castigar a los incorregibles, controlar a los locos, corregir a los viciosos, aislar a los sospechosos y hacer trabajar a los ociosos".

Cuando murió, se cumplió su última voluntad. Bentham fue disecado, como él quería: sentado en su silla de siempre, vestido de negro, con el puño en el bastón. Y así este domador del caos del mundo pudo seguir vigilando, durante muchos años, las reuniones de la junta directiva del University College de Londres. *Presente pero no votante*, según constaba en las actas de las sesiones.

# El Mal

En Colombia, los peones lo llaman don Sata. Él les regala machetes que cortan la caña solitos, sin que la mano trabaje. Y se va de parranda con ellos, que la pasan en grande y no sienten olor a azufre ni miedo a la quemazón.

En Bolivia, los mineros lo llaman el Tío. A cambio de cigarros y aguardiente, él los conduce por las tripas de las montañas y les ofrece las mejores vetas.

En Argentina, las tierras del norte son suyas mientras dura el carnaval. El miércoles de cenizas, los endiablados se desendiablan, entierran al dueño de la fiesta, el que nunca bebe agua, y llorando lo despiden hasta el año que viene.

En Brasil, en las fiestas del pobrerío, los tambores llaman a este invitado especial, vengador de los humillados, sujeto de fama infame: le ruegan que tenga la maldad de venirse a vivir al mundo, que es como el infierno pero con mejor clima.

# El Bien

Ya es santo, casi ángel, José María Escrivá de Balaguer, que por nosotros vela desde el Cielo.

En vida, este piadoso siervo de Dios predicó el amor a la guerra, denunció a los rojos y a los libertinos, odió a los homosexuales y a los judíos, despreció a las mujeres y fundó el Opus Dei.

Mucho antes de que el Papa lo hiciera santo, el generalísimo Francisco Franco lo había hecho marqués, en recompensa por sus servicios. Mientras Franco exterminaba la república española y aniquilaba a los herejes, Escrivá le cantaba himnos de alabanza y custodiaba la paz de su espíritu.

En el camino de la gracia divina, hizo numerosos milagros.

Sus milagros más asombrosos ocurrieron en 1996. Escrivá ya era difunto y todavía no era santo, pero ya andaba en eso, y desde el Cielo acudió en auxilio de las víctimas de la inseguridad ciudadana. En Guadalupe, México, un devoto imploró ayuda a su estampita, y al día siguiente apareció la camioneta que le habían llevado los ladrones. Y poco después, algunas feligresas le rezaron una novena en Milán, Italia, y seis automóviles robados, últimos modelos de prestigiosas marcas, fueron milagrosamente recuperados por sus propietarios.

# Un profesional

Fue cimiento de su hogar, bastón de su madre, escudo de sus hermanas.

Al fondo de la casa, al final del largo corredor, había un altar consagrado a la Virgen. Allí recogía sus balas, sus balas rezadas, sumergidas en la pila de agua bendita, y se ataba el escapulario al pecho, antes de marcharse a cumplir un servicio. Y allí quedaban, clavadas de rodillas ante el altar, la madre y las hermanas. Durante horas y horas, desgranaban rosarios suplicando una ayudita a la Milagrosa, para que el trabajo del muchacho saliera bien.

Sus labores le ganaron fama y respeto en las calles de Corinto y en otros pueblos y ciudades del valle del Cauca. En toda Colombia no, porque la competencia era mucha.

Vivió emplomando gente, y emplomado murió.

Salvo los cuatro tiros a su mujer, que fue cosa suya, siempre mató por cuenta de otros. Metió bala por encargo de empresarios, generales, herederos y maridos.

—*Que nadie vaya a pensar mal* —decía—. *Yo lo hago por dinero.*

# Otro profesional

El general Arturo Durazo, que dirigía la policía de México, cobraba a fin de mes los sueldos de dos mil agentes que habían muerto o que nunca habían nacido. También cobraba una comisión por cada gramo de cocaína o heroína que pasaba por el país, y quien se hacía el distraído pagaba con la mercancía o la existencia. Para redondear sus ingresos, el jefe del orden público vendía, además, plazas de oficiales, a millón y medio de pesos el puesto de coronel; pero regalaba el grado de capitán a los cantantes que más le gustaban.

En 1982, recibió el título de Doctor Honoris Causa y los diarios lo exhibieron vestido de toga y birrete.

Para entonces, con los ahorros de toda una vida consagrada al trabajo, el general Durazo había podido realizar el sueño de las casas propias. Tenía unas cuantas en México y en el mundo. De sus hogares mexicanos, uno lucía muebles de Francia, otro contaba con hipódromo inglés y discoteca de Nueva York, otro reproducía un chalet de los Alpes y no podía faltar una copia exacta del Partenón, con piscina al centro.

Terminó preso, por exagerado.

# Para triunfar en la vida

En 1999, según informó el diario *The Times of India*, una nueva institución educativa estaba funcionando exitosamente en la ciudad de Muzaffarnagar, al oeste del estado de Uttar Pradesh.

Allí se ofrecía a los adolescentes una formación especializada. Uno de los tres directores, el pedagogo Susheel Mooch, tenía a su cargo el curso más sofisticado, que incluía, entre otras materias, Secuestros, Extorsiones y Ejecuciones. Los otros dos directores se ocupaban de materias más convencionales. Todos los cursos incluían trabajos prácticos. Por ejemplo, para la enseñanza del robo en autopistas y carreteras, los estudiantes, agazapados, arrojaban algún objeto metálico sobre el automóvil que elegían: el impacto detenía al sorprendido conductor y entonces se procedía al asalto, que el docente supervisaba.

Esta escuela había surgido para dar respuesta a una necesidad del mercado y para cumplir una función social. Según explicaron los responsables de la institución, el mercado exigía niveles cada vez más altos de especialización en el área del delito, y la educación criminal era la única formación profesional capaz de asegurar a los jóvenes un trabajo bien remunerado y permanente.

La noticia me dejó preocupado. Desde que la leí, he estado meditando el asunto. ¿Cuántos maestros de las escuelas tradicionales podrán reciclarse y adaptarse a estas exigencias de la modernidad?

# Los mendigos

Para triunfar en la vida, también los mendigos estudian.

Espiando la tele, en bares y vidrieras, los mendigos reciben lecciones de los maestros del oficio. En la pantalla chica, ellos asisten a las clases impartidas por los presidentes latinoamericanos, que pasan el sombrero en las conferencias internacionales, y que practican el arte de implorar en sus periódicas peregrinaciones a Washington.

Así, los mendigos aprenden que la verdad no es eficaz. Un buen profesional nunca pide unas monedas para el vino. No, no: extiende la mano suplicando una ayuda para llevar a la anciana madre al hospital, o para pagar el cajón del hijito que acaba de morir, mientras con la otra mano exhibe la receta médica o el certificado de defunción.

Los mendigos también aprenden que algo hay que ofrecer, a cambio de la limosna. Ellos tienen la calle por patria, carecen de territorio: no hay suelos, ni subsuelos, ni empresas públicas, que puedan entregar. Pero pueden retribuir la caridad con un lugarcito en el Más Allá, y eso hacen:

—*No me obligue a robar, Jesús también pidió, lo dice la Biblia, Dios se lo pague, Dios lo tenga en la Gloria, usted se merece el Cielo...*

# El uniforme de trabajo

Ciento treinta y cinco años después de su muerte, Abraham Lincoln andaba por las calles de Baltimore, Annapolis y otras ciudades de Maryland.

Lincoln entraba en un comercio cualquiera. Tocándose el ala del sombrero de copa, inclinaba el cuerpo en una leve reverencia. Estudiaba el panorama con sus inconfundibles ojos melancólicos, mientras se rascaba la barba grisácea sin bigotes, y después extraía de la levita negra una pistola Magnum 357. En su estilo directo, de hombre que va al grano y no se anda con vueltas, decía:

—*La bolsa o la vida.*

Durante el mes de mayo del año 2000, Kevin Gibson asaltó once tiendas, siempre disfrazado de Abraham Lincoln, hasta que la policía lo atrapó y lo metió en la cárcel.

Gibson está preso desde entonces. Tiene cárcel para rato. Él se pregunta por qué. Al fin y al cabo, ¿no se disfrazan de Lincoln los políticos más exitosos, para hacer más o menos lo mismo?

# Asaltado asaltante

En América Latina, las dictaduras militares quemaban los libros subversivos. Ahora, en democracia, se queman los libros de contabilidad. Las dictaduras militares desaparecían gente. Las dictaduras financieras desaparecen dinero.

Un buen día, los bancos de la Argentina se negaron a devolver el dinero de los ahorristas.

Norberto Roglich había guardado sus ahorros en el banco, para que no los comieran los ratones ni los robaran los ladrones. Cuando fue asaltado por el banco, don Norberto estaba muy enfermo, porque los años no vienen solos, y la jubilación no daba para pagar los remedios.

De modo que no le quedaba otra: desesperado, penetró en la fortaleza financiera y sin pedir permiso se abrió paso hasta el escritorio del gerente. En el puño, apretaba una granada:

—*O me dan mi plata o volamos todos.*

La granada era de juguete, pero hizo el milagro: el banco le entregó su dinero.

Después, don Norberto marchó preso. El fiscal pidió de ocho a dieciséis años de cárcel. Para él, no para el banco.

# Marche preso el policía

Por ser la alumna ejemplar, la que mejor hacía los deberes, Argentina había vendido hasta los leones de los zoológicos y las baldosas de las veredas y debía a cada santo una vela. Entonces, a principios del año 2003, el Fondo Monetario Internacional y el Banco Mundial, que tanto habían contribuido a despanzurrar el país, enviaron una misión para revisarle las cuentas.

Uno de los miembros de esta policía financiera, Jorge Baca Campodónico, iba a ocuparse de la evasión de impuestos. Él era un experto en el tema. Sabía mucho de fraudes porque estaba acostumbrado a cometerlos. No bien aterrizó en Buenos Aires, la Interpol lo metió preso.

Este funcionario tenía la captura recomendada.

Sus patrones, no.

# Ladrones de palabras

Según el diccionario de nuestro tiempo, *las buenas acciones* ya no son los nobles gestos del corazón, sino las acciones que cotizan bien en la Bolsa, y la Bolsa es el escenario donde ocurren *las crisis de valores.*

*El mercado* ya no es el entrañable lugar donde uno compra frutas y verduras en el barrio. Ahora se llama *Mercado* un temible señor sin rostro, que dice ser eterno y nos vigila y nos castiga. Sus intérpretes anuncian: *El Mercado está nervioso,* y advierten: *No hay que irritar al Mercado.*

*Comunidad internacional* es el nombre de los grandes banqueros y de los jefes guerreros. Sus *planes de ayuda* venden salvavidas de plomo a los países que ellos ahogan y sus *misiones de paz* pacifican a los muertos.

En los Estados Unidos, el Ministerio de Ataques se llama *Secretaría de Defensa,* y se llaman *bombardeos humanitarios* sus diluvios de misiles contra el mundo.

En una pared, escrito por alguien, escrito por todos, leo: "A mí me duele la voz".

# Hurtos y rapiñas

Las palabras pierden su sentido, mientras pierden su color la mar verde y el cielo azul, que habían sido pintados por gentileza de las algas que echaron oxígeno durante tres mil millones de años.

Y la noche pierde sus estrellas. Ya hay carteles de protesta clavados en las grandes ciudades del mundo:

*No nos dejan ver las estrellas.*

Firmado: *La gente.*

Y en el firmamento han aparecido ya muchos carteles que claman:

*No nos dejan ver a la gente.*

Firmado: *Las estrellas.*

# Un caso muy común

A sus años, doña Chila Monti ya estaba en la frontera entre la tierra y el cielo, más cerca del arpa que de la guitarra.

El hijo, Horacio, lo sabía, pero se pegó un susto cuando la vio: le giraban los ojos, tenía el corazón en un sofoco y las manos trembleques. Con el poco aire que le quedaba, doña Chila pudo musitar:

—*Me robaron.*

Cuando Horacio preguntó qué cosas le habían robado, ella recuperó al instante la visión, la respiración y el pulso. Y el habla. Indignada, dijo:

—*¿Cosas? Vos bien sabés que yo no tengo nada. ¿Qué se iban a llevar? Me iré con lo puesto, cuando Dios me llame.*

Y puso los puntos sobre las íes:

—*Cosas, no. Los ladrones me robaron las ideas.*

# La memoria robada

En 1921, los peónes de la Patagonia se alzaron en huelga. Entonces los estancieros llamaron al embajador británico que llamó al presidente argentino que llamó al ejército.

A tiros de máuser, el ejército acabó con la huelga y con los huelguistas también. Los peones fueron arrojados a las fosas comunes abiertas en las estancias; y para la zafra siguiente no quedaba vivo nadie que supiera esquilar las ovejas.

El capitán Pedro Viñas Ibarra comandó las operaciones en una de las estancias. Medio siglo después, cuando ya el capitán era coronel jubilado, Osvaldo Bayer habló con él. Escuchó la historia oficial:

—*Ah, sí* —evocó el militar—. *La estancia Anita. Aquel combate.*

Bayer quería saber por qué aquel combate había dejado seiscientos obreros muertos y ningún soldado muerto, ni herido, ni lastimado.

Y el brazo armado del orden, amablemente, explicó:

—*El viento. Nosotros nos poníamos del lado del viento. Por eso las balas nuestras no se desviaban. Las balas de ellos, a contraviento, se perdían.*

# La memoria comprada

En 1839, el embajador norteamericano en Honduras, John Lloyd Stephens, compró la ciudad maya de Copán, con dioses y todo, por cincuenta dólares.

En 1892, en las cercanías de Nueva York, un jefe indígena iroqués vendió las cuatro fajas sagradas que su comunidad guardaba desde siempre. Como las ruinas alzadas en la maleza de Copán, esas fajas de conchillas contaban la historia colectiva. El general Henry B. Carrington las compró por setenta y cinco dólares.

Para blanquear la República Dominicana, el general Rafael Leónidas Trujillo asesinó a dieciocho mil negros en 1937. Eran todos haitianos, como su abuela materna. Trujillo pagó al gobierno de Haití una indemnización de veintinueve dólares por muerto.

En el año 2001, al cabo de varios procesos por sus crímenes, el general chileno Augusto Pinochet terminó pagando una multa de 3.500 dólares. Un dólar por muerto.

# La memoria quemada

En 1499, en Granada, el arzobispo Cisneros echó a las llamas los libros que contaban ocho siglos de cultura islámica en España, mientras trece siglos de cultura judía ardían en las hogueras de la Inquisición.

En 1562, en Yucatán, fray Diego de Landa mandó a la hoguera ocho siglos de literatura maya.

Otros incendios hubo antes en el mundo, memorias arrojadas al fuego, y muchos hubo después.

En el año 2003, cuando las tropas invasoras concluyeron la conquista de Irak, los vencedores rodearon con tanques y soldados los pozos de petróleo, las reservas de petróleo y el Ministerio del Petróleo. En cambio, los soldados silbaron y miraron para otro lado cuando fueron vaciados todos los museos y fueron robados los libros de barro cocido que contaban las primeras leyendas, las primeras historias y las primeras leyes escritas en el mundo.

Acto seguido, fueron quemados los libros de papel. Ardió la Biblioteca Nacional de Bagdad, y se hicieron cenizas más de medio millón de libros. Muchos de los primeros libros impresos en lengua árabe y en lengua persa murieron allí.

# Tradiciones

Era el dolor de cabeza de su familia, el peor estudiante de su clase. La bochornosa situación parecía irremediable, hasta que el padre del pésimo alumno ofreció un banquete al maestro. Al cabo de una larga noche de alabanzas y agasajos, deleites del oído y de la boca, el maestro volvió a su casa cargado de regalos. A la mañana siguiente, el peor estudiante se convirtió en el mejor alumno.

Palabra más, palabra menos, esta historia, contada hace más de cuatro mil años, prueba que el soborno es una de las costumbres más antiguas de la Civilización.

Fue descubierta a orillas del río Éufrates. Había sido narrada por los sumerios, mediante signos que parecían huellas de pájaros, dibujados con cañitas afiladas en una de las miles de tablillas de barro que desaparecieron del Museo de Bagdad.

# El pionero

Grandes Invenciones de la Humanidad: no se sabe quién inventó la rueda que mueve las carretillas y las máquinas, pero sí se conoce el nombre del inventor de la rueda que mueve la economía. Fue Marco Licinio Craso, nacido en el año 115 antes de Cristo.

Él descubrió que la vitalidad del mercado depende del impulso mutuo entre la oferta y la demanda de bienes y servicios.

Para poner en práctica esta ley del circuito económico, fundó una empresa en Roma.

Así nació la primera empresa privada de bomberos.

Tuvo mucho éxito.

Don Marco Licinio provocaba los incendios y después cobraba por apagarlos.

# Otro pionero

Pepe Arias fundó la primera empresa virtual. Medio siglo antes de que nacieran los negocios *on line* y el índice Nasdaq, él puso en venta un terreno de cuatro mil metros cuadrados, en pleno centro de Buenos Aires.

Pepe recibía a los interesados con el contrato en la mano, ya listo para la firma. Los recibía de pie, porque el espacio no alcanzaba para meter ni una silla.

—*¿Dónde está el terreno?* —preguntaban.

—*Aquí.*

—*¿Aquí?*

—*Sí señor* —aclaraba Pepe, alzando los brazos al cielo—. *Son cuatro mil metros cuadrados, pero para arriba.*

# Modelos

Cuando se acercaba el fin del milenio, la prensa del Uruguay difundió la biografía de un exitoso compatriota, que brillaba con luz propia en los cielos de Internet. Muy fugaz resultó el fulgor de nuestra estrella del ciberespacio; pero, mientras duró, el presidente del país nos exhortó a todos a seguir su ejemplo.

Este empresario ejemplar había sido un niño prodigio. A los seis años de edad, alquilaba sus juguetes a los amigos del barrio, con tarifas por hora o por día. Y a los diez años, ya había fundado una empresa de seguros y un banco: aseguraba útiles escolares contra robos y accidentes y prestaba dinero, con una razonable tasa de interés, a sus compañeritos de clase.

# Tecnología de punta

Ya hace casi medio siglo que Levi Freisztav se vino a la Patagonia.

Llegó por casualidad o por curiosidad. Caminando estas tierras y estos aires, descubrió que sus padres se habían equivocado de mapa. Y se quedó para siempre.

Estaba recién llegado cuando consiguió trabajo en un proyecto de hidroponía. Un doctor de por aquí había leído esa novedad en alguna revista, y había decidido ponerla en práctica.

Levi cavaba, clavaba y sudaba montando, día tras día, la complicada estructura de cristales, hierros y tubos acanalados que era necesaria para cultivar lechugas en el agua. Si lo hacen en los Estados Unidos por algo será, decía el doctor, es una fija, no puede fallar, esa gente está a la vanguardia de la Civilización, la tecnología es la llave de la riqueza, nosotros llevamos varios siglos de atraso, hay que correr para ponerse al día.

En aquellos tiempos, Levi era todavía un hombre del asfalto, de esos que creen que los tomates nacen del plato y se quedan bizcos cuando ven un pollo crudo y caminando. Pero un día, contemplando las inmensidades de la Patagonia, se le ocurrió preguntar:

—Oiga, doctor. ¿Valdrá la pena? ¿Valdrá la pena, con tanta tierra que hay?

Perdió el trabajo.

# Ofertas

Se parecía a Carlos Gardel, pero después de la caída del avión. Tosía, ajustaba el nudo del pañuelo que le protegía la garganta. El pañuelo había sido blanco alguna vez.

—¡Yo no vendo nada! —roncaba.

Estaba parado sobre un banquito, frente a la Caja de Jubilaciones de Montevideo. En las manos sostenía una caja de cartón, atada con piolines desflecados como él.

Algunos curiosos se acercaban, todos viejos o muy viejos. También el Pepe Barrientos, que siempre andaba dando vueltas por la ciudad, metió la nariz. Poquito a poco, los curiosos se iban haciendo gentío.

—¡Yo no vendo nada!,

repetía el hombre.

Y cuando llegó el momento, con ampuloso gesto alzó la caja de cartón y la ofreció a los cielos:

—¡Yo no vendo nada, señoras y señores! Porque esto... ¡esto no tiene precio!

Los ancianos se apretujaron, ansiosos, mientras aquellos huesudos dedos desataban, muy lentamente, con parsimonia de amante que demora el goce, los piolines que ataban el misterio.

Y la caja se abrió.

Adentro, había celofanes de colores, anudados en forma de mariposas.

Cada celofán era un cambio de vida. Había cambios verdes, azules, lilas, rojos, amarillos...

—¡A voluntad! —roncó el pregonero—. ¡Usted paga lo que pueda y se lleva una vida nueva! ¡Es un regalo, señoras y señores! ¡Más cuesta una botella de vino que contiene veneno, cárcel, manicomio...!

# Marketing

Salim Harari siempre tenía a mano una bolsita llena de pimienta, infalible arma de Oriente para arrojar a los ojos de los ladrones; pero ni los ladrones entraban. La tienda, *La Lindalinda*, estaba tan vacía como los estómagos de sus nueve hijos.

Salim había venido, desde la lejana Damasco, a vender géneros en la ciudad de Rafaela. Jamás se daba por vencido: el limonero no daba frutos y él ataba limones a las ramas; ningún cliente aparecía y él arrojaba metros y metros de telas a la calle:

—*¡Aquí se regala todo!*

Le llegaban noticias de que un barco se había hundido en el río Paraná y él regaba con agua sus satenes, percales y tafetas, y a gritos los ofrecía:

—*¡Las telas rescatadas del naufragio!*

Pero ni así. No había manera. La gente pasaba, nadie se asomaba.

Largo fue el tiempo de la desgracia. Cada día era peor que el anterior y mejor que el siguiente, hasta que una noche Salim frotó una lamparita quemada y recibió la visita de un duende venido desde su remoto país. Y el duende le reveló la fórmula mágica: había que cobrar entrada.

Y entonces, cambió la suerte. Todo el pueblo hacía cola.

# El banquero ejemplar

John Pierpont Morgan Junior era dueño del banco más poderoso del mundo y de otras ochenta y ocho empresas. Como estaba muy ocupado, se había olvidado de pagar sus impuestos.

Llevaba tres años sin pagar, desde el estallido de la crisis de 1929. Cuando se supo, ardieron de furia las multitudes arruinadas por la catástrofe de Wall Street y se desató un escándalo en todo el país.

Para cambiar su imagen de banquero rapaz, el empresario recurrió al experto en relaciones públicas del circo Ringling Brothers.

El experto le recomendó contratar a un fenómeno de la naturaleza, Lya Graf, una mujer de treinta años, que medía sesenta y ocho centímetros de alto pero no tenía cara ni cuerpo de enana.

Así se lanzó una gigantesca campaña de publicidad, centrada en una foto. La foto mostraba al banquero en su trono, cara de buen papá, con esa miniatura humana sentada en sus rodillas. El símbolo del poder financiero amparando a la población, encogida por la crisis: ésa era la idea.

No funcionó.

# Una clase de Economía política

Los sones del organito anunciaban que el barquillero estaba llegando al barrio. Estaban hechos de trigo y de aire, y de música también, aquellos barquillos crujientes que nos hacían agua la boca.

La cantidad de barquillos dependía de la suerte. A cambio de una moneda, echabas a girar un disco, hasta que la aguja señalaba tu número de la fortuna: del cero al veinte, si mal no recuerdo, recibías nada, poco, mucho o un banquete.

Nunca olvidaré mi primera vez. Yo pagué mi moneda, me alcé en puntas de pie y puse a girar el disco. Cuando el disco se detuvo, alcancé a ver que la aguja apuntaba al veinte. Y entonces el barquillero metió un dedo, y sentenció:

—*Cero.*

En vano protesté.

Yo ya era capaz de contar hasta veinte con ayuda de las dos manos, pero no sabía un pepino de Economía política.

Aquella fue mi primera lección.

# El obrero ejemplar

La pócima Z no es una novedad tecnológica en la era de la globalización laboral, sino un antiguo secreto de las tradiciones de Haití.

Así se aplica:

En la noche, las abejas alimentadas con la pócima Z clavan sus dardos en el cuerpo de alguien que duerme.

Al amanecer, el inoculado no consigue levantarse.

Al mediodía, se apaga como una vela.

Al atardecer, sus queridos lo llevan, en andas, al cementerio.

A la medianoche, el difunto abre su tumba y vuelve al mundo.

El regresado, convertido en zombi, ha perdido la pasión y la memoria. Trabaja sin horario ni salario, moliendo caña o alzando paredes o cargando leña, los ojos idos, callada la boca: no se queja jamás, ni exige nada, ni pide siquiera.

# La mujer ejemplar

Vivió obedeciendo al mandato bíblico y a la tradición histórica.

Ella barría, lustraba, enjabonaba, enjuagaba, planchaba, cosía y cocinaba.

A las ocho en punto de la mañana servía el desayuno, con una cucharada de miel para el eterno ardor de garganta de su marido. A las doce en punto servía el almuerzo, consomé, puré de papas, pollo hervido, duraznos en almíbar; y a las ocho en punto la cena, con el mismo menú.

. Jamás se atrasó, jamás se adelantó. Comía en silencio, porque no era mujer opinativa ni preguntativa, mientras el marido contaba hazañas presentes y pasadas.

Después de la cena, se demoraba lavando lentamente los platos, y entraba en la cama rogando a Dios que él estuviera dormido.

Para entonces ya se habían difundido bastante la máquina lavarropas, la aspiradora eléctrica y el orgasmo femenino, que habían llegado poco después de la penicilina; pero ella no se enteraba de las novedades.

Sólo escuchaba los radioteatros, y rara vez salía del refugio de paz donde vivía a salvo de la violencia del mundo.

Una tarde, salió. Fue a visitar a una hermana enferma.

Cuando regresó, al anochecer, encontró al marido muerto.

Algunos años después, la abnegada confesó que esta historia no había terminado exactamente así.

Contó el otro final a un vecino llamado Gerardo Mendive, que se lo contó a un vecino que se lo contó a otro vecino que se lo contó a otro: al volver de la casa de la hermana, ella encontró al marido caído en el suelo, jadeando, bizqueando, la cara de color tomate, y pasó de largo, se metió en la cocina, preparó un inolvidable banquete de calamares en su tinta y merluza a la vasca, con un postre de alta torre de frutas y de helados, todo regado con un vino añejo que tenía escondido, y a las ocho en punto de la noche, como era su deber, sirvió la cena, se hartó de comer y de beber, confirmó que él estaba definitivamente quieto en el suelo, se persignó, se vistió de negro y llamó por teléfono al médico.

# El atleta ejemplar

Fueron dos los campeonatos mundiales de fútbol que se disputaron en Asia, en el año 2002. En uno jugaron los deportistas de carne y hueso. En el otro, al mismo tiempo, jugaron los robots.

Los torneos mundiales de robots ocurren, cada año, en un lugar diferente. Sus organizadores tienen la esperanza de competir, de aquí a algún tiempo, contra las selecciones de carne y hueso. Al fin y al cabo, dicen, ya una computadora ha derrotado al campeón Gary Kasparov en un tablero de ajedrez, y no les cuesta tanto imaginar que los atletas mecánicos lleguen a lograr una hazaña semejante en una cancha de fútbol.

Los robots, programados por ingenieros, son sólidos en la defensa y veloces en el ataque. Jamás se cansan ni protestan, ni se entretienen con la pelota: cumplen sin chistar las órdenes del director técnico y ni por un instante cometen la locura de creer que los jugadores juegan. Y nunca se ríen.

# Coronación

No fueron dos. Fueron tres: en el 2002 hubo también un tercer campeonato mundial.

Consistió en un solo partido, que se disputó en los picos del Himalaya el mismo día en que Brasil se consagró campeón en Tokio.

Nadie se enteró.

Midieron sus fuerzas las dos peores selecciones del planeta, la última y la penúltima en el *ranking* mundial: el reino de Bhután y la isla caribeña de Monserrat.

El trofeo era una gran copa plateada, que esperaba a la orilla de la cancha.

Los jugadores, ningún famoso, todos anónimos, lo pasaron en grande, sin más obligación que divertirse mucho. Y cuando los dos equipos terminaron el partido, la copa, que estaba pegada por la mitad, se abrió en dos y fue por los dos compartida.

Bhután había ganado y Monserrat había perdido, pero ese detalle no tenía la menor importancia.

# El doliente ejemplar

En algo se parecen. En Brasil, como en todas partes, los políticos más populares, los millonarios notorios, los ídolos del fútbol, las estrellas de la televisión y los genios de la música tienen, todos, algo en común: son, todos, mortales.

Jaime Sabino había estudiado muy bien este asunto. Y cada vez que algún famoso cumplía su destino, él era el primero en enterarse y el primero en aparecer. A la velocidad de la luz, Jaime acudía al entierro del difunto o difunta, fuera donde fuese, desde el suburbio de Río de Janeiro donde él era humilde empleado de una oficina pública.

—*Yo vengo en representación de los doscientos mil habitantes de Nilópolis* —decía, y así atravesaba sin problemas todos los controles y los cordones de seguridad, porque cualquiera puede parar a una persona pero nadie es capaz de prohibir el paso a doscientas mil.

De inmediato, Jaime ocupaba el lugar exacto en el momento exacto.

Justo cuando se encendían las cámaras de la televisión y los flashes de los fotógrafos, él estaba cargando al hombro el ataúd de la gloria nacional que había dejado un vacío imposible de llenar, o aparecía estirando el cuello, parado en puntas de pie, entre los parientes más cercanos y los amigos más íntimos. Su cara compungida era infaltable en los noticieros y en los periódicos.

Los periodistas lo llamaban *papagayo de pirata*. Por envidia.

# La difunta milagrosa

Vivir es una costumbre mortal, contra eso no hay quien pueda, y también doña Asunción Gutiérrez murió, al cabo de un largo siglo de vida.

Parientes y vecinos la velaron en su casa, en Managua. Ya hacía rato que habían pasado del llanto a la fiesta, ya las lágrimas habían abierto paso a los tragos y a las risas, cuando en lo mejor de la noche, doña Asunción se alzó en el ataúd.

—*Sáquenme de aquí, babosos* —mandó.

Y se sentó a comer un tamalito, sin hacer el menor caso de nadie.

En silencio, los deudos se fueron retirando. Ya los cuentos no tenían quien los contara, ni los naipes quien los jugara, y los tragos habían perdido su pretexto. Velorio sin muerto, no tiene gracia. La gente se perdió por las calles de tierra, sin saber qué hacer con lo que quedaba de la noche.

Uno de los bisnietos comentó, indignado:

—*Es la tercera vez que la vieja nos hace esto.*

# La inflación

Había sido un viviente flaco, pero fue un globo en la muerte.

Para clavar la tapa del ataúd, toda la parentela tuvo que sentarse encima. Y hubo diversidad de opiniones sobre ese engordamiento súbito:

—*La muerte hincha.*

—*Es el gas carbónico.*

—*Es la mala leche.*

—*Es el alma* —sollozó la viuda—. *El alma, que quiere salirse del traje.*

El traje, un *tweed* inglés, había sido el único lujo en toda la vida del finado. Él se lo había mandado hacer, de medida, para vestir su muerte, cuando ya le volaban cerca las lechuzas y vio que estaba por llegar al finalmente.

Herencia, no dejó. Nada. La familia, que siempre había vivido en la pobreza, no notó la diferencia.

Muchos años después, Nicola Di Sábato asistió al desentierro de su tío.

Poco había quedado del difunto: los huesos y el traje en jirones.

El traje estaba todo relleno de dinero.

Los billetes, muchos miles de billetes, ya no valían nada.

# El candidato ejemplar

No lloraba evocando su infancia desvalida, no besaba a los niños, no firmaba autógrafos ni se fotografiaba junto a los inválidos. No prometía nada. No infligía interminables discursos a los electores. No tenía ideas de izquierda, ni de derecha, pero tampoco de centro. Era insobornable, despreciaba el dinero, aunque se relamía notoriamente ante los ramos de flores.

En las elecciones de 1996, encabezaba las encuestas. Era el candidato favorito a la alcaldía del pueblo de Pilar, y su fama crecía en todo el nordeste del Brasil. La gente, harta de los políticos que mienten hasta cuando dicen la verdad, confiaba en este joven bóvido artiodáctilo, vulgarmente llamado chivo, de color blanco y barba al tono. En sus actos públicos, Federico bailaba, erguido en dos patas, y hacía convincentes cabriolas al ritmo de la banda que lo acompañaba por los barrios.

En vísperas de su victoria, amaneció muerto. Tenía la barba roja de sangre seca. Había sido envenenado.

# El voto y el veto

Corría el año 1916, año de elecciones en la Argentina. En el pueblo de Campana, se votaba en la trastienda del almacén de ramos generales.

José Gelman, de profesión carpintero, fue el primero en llegar. Iba a votar por primera vez en la vida, y el deber cívico le hinchaba el pecho. Aquella mañana, iba a ingresar en la democracia este inmigrante venido del otro lado del mundo, que no había conocido nada más que el despotismo militar de la lejana Ucrania.

Cuando José estaba metiendo su voto en la urna, voto por el Partido Radical, una voz ronca le paralizó la mano:

—*Te estás equivocando de montón* —advirtió la voz.

Por entre las rejas de la ventana, asomó el caño de una escopeta. El caño apuntó al montón correcto, donde estaban las listas del Partido Conservador.

# El precio de la democracia

Doris Haddock, obrera jubilada, caminó desde Los Ángeles hasta Washington: una tortuga atravesó los Estados Unidos, de costa a costa.

Ella se echó al camino para denunciar la venta de la democracia a los millonarios que pagan las campañas de los políticos; y a su paso, etapa por etapa, iba arengando a la gente.

Ya llevaba más de un año de caminata, frita por los soles, congelada por los fríos, volada por los vientos, cuando la paralizó la nieve. Una tremenda tormenta de nieve se descargó sobre las montañas del oeste de Virginia.

En el pueblo de Cumberland, Doris festejó su cumpleaños. Noventa velitas. Y siguió viaje en esquí.

Esquiando viajó, a través de la nieve, todo el último mes.

Mientras nacía el siglo veintiuno, llegó a la ciudad de Washington. Una multitud la acompañó hasta el Capitolio. Allí trabajan los legisladores, la mano de obra política de las grandes empresas que retribuyen sus servicios.

Desde las gradas del Capitolio, Doris pronunció un lacónico discurso. Señalando el pórtico del Capitolio, dijo:

—*Esto se está convirtiendo en una casa de putas.*

Y se fue.

# Civilización y barbarie

Mientras los dioses duermen, o se hacen los dormidos, la gente camina. Es día de mercado en este pueblo perdido en las afueras de Totonicapán, y hay mucho vaivén. Desde otras aldeas, llegan las mujeres, cargando bultos, por los senderos verdes. Ellas se encuentran en el mercado, hoy aquí o mañana allá, en este pueblo o en otro, como dientes que van hacia la boca, y charlando se van poniendo al día, lentamente, mientras venden, poquito a poco, alguna que otra cosa.

Una vieja señora despliega su paño en el suelo, y allí acuesta lo suyo: sahumerios de copal, tintes de añil y de cochinilla, algunos chiles bien picantes, hierbas de olor, un tarro de miel silvestre; una muñeca de trapo y un muñeco de barro pintado; fajas, cordones, cintas; collares de semillas, peines de hueso, espejitos...

Un turista, recién llegado a Guatemala, quiere comprarle todo.

Como ella no entiende, le dice con las manos: *todo*. Ella niega con la cabeza. Él insiste: tú me dices cuánto pides, yo te digo cuánto pago. Y repite: te compro *todo*. Habla cada vez más fuerte. Grita. Ella, estatua sentada, calla.

El turista, harto, se va. Piensa: *Este país nunca va a llegar a nada.*

Ella lo mira alejarse. Piensa: *Mis cosas no quieren irse contigo.*

# El mercado global

Árboles de color canela, frutos dorados.

Manos de caoba envuelven las semillas blancas en paquetes de grandes hojas verdes.

Las semillas fermentan al sol. Después, ya desenvueltas, el sol las seca, a la intemperie, y lentamente las pinta de cobre.

Entonces, el cacao inicia su viaje por la mar azul.

Desde las manos que lo cultivan hasta las bocas que lo comen, el cacao se procesa en las fábricas de Cadbury, Mars, Nestlé o Hershey y se vende en los supermercados del mundo: por cada dólar que entra en la caja, tres centavos y medio van a las aldeas de donde el cacao viene.

Un periodista de Toronto, Richard Swift, estuvo en una de esas aldeas, en las montañas de Ghana.

Recorrió las plantaciones.

Cuando se sentó a descansar, sacó de su mochila unas barras de chocolate. Antes del primer mordisco, se encontró rodeado de niños curiosos.

Ellos nunca habían probado eso. Les encantó.

# El gobierno global

En el crepúsculo del siglo veinte y de su propia vida, Julius Nyerere conversó con la comunidad internacional. O sea: los jefes del Banco Mundial lo recibieron en Washington.

Nyerere había sido el primer presidente de Tanzania, después de mucho pelear contra el poder colonial; y había creído en la independencia y había querido que ella fuera mucho más que un saludo a la bandera.

—*¿Por qué ha fracasado usted?* —le preguntaron los altos expertos internacionales.

Nyerere respondió:

—*El Imperio Británico nos dejó un país donde casi todos eran analfabetos y había dos ingenieros y doce médicos. Al fin de mi gobierno, casi no había analfabetos, y teníamos miles de ingenieros y de médicos. Yo dejé el gobierno en 1985. Han pasado trece años. Ahora, tenemos muchos menos niños en las escuelas, un tercio menos, y la salud pública y los servicios sociales están en la ruina. En estos trece años, Tanzania ha hecho todo lo que el Banco Mundial y el Fondo Monetario Internacional exigieron que se hiciera para modernizar el país.*

Y Julius Nyerere devolvió la pregunta:

—*¿Por qué han fracasado ustedes?*

# La carga del hombre blanco

El capitán Léon Rom coleccionaba mariposas y cabezas humanas. A las mariposas las clavaba en la pared. Las cabezas decoraban su jardín. Otro oficial de la tropa colonial, Guillaume Van Kerckhoven, competía con él y decía ser el mayor experto en decapitaciones.

El Congo, cien veces mayor que Bélgica, era propiedad personal del rey Leopoldo: una fuente prodigiosa de caucho y marfil, un inmenso paisaje de esclavos encadenados, azotados, mutilados, asesinados.

En el año 1900, el diplomático inglés Roger Casement fue invitado a comer en el Palacio Real de Bruselas. Entre plato y plato, el rey Leopoldo habló de las dificultades tremendas que su misión civilizadora encontraba a cada paso. Era una hazaña imponer la disciplina laboral a una raza inferior, que ignoraba la cultura del trabajo, bajo aquel sol africano que derretía las piedras.

El rey reconoció que a veces sus hombres, hombres de buena voluntad, cometían abusos. Era culpa del clima:

—*El calor, intolerable, los enloquece.*

# Prodigiosa Ciencia

A los veintiséis años, entró al quirófano por primera vez. Desde entonces, vivió entre el quirófano y el escenario. ¿De qué color es la cumbre del mundo? Del color de la nieve. Para ser rey de reyes, el más alto entre los altos, él cambió de piel, de nariz, de labios, de cejas y de pelo. Pintó de blanco su piel negra, afiló su nariz ancha, sus labios gruesos y sus cejas pobladas y se implantó pelo lacio en la cabeza.

Gracias a la industria química y a las artes de la cirugía, de inyección en inyección, de operación en operación, al cabo de veinte años su imagen quedó limpia de la maldición africana. Ya no tenía ni una sola mancha. La Ciencia había derrotado a la naturaleza.

Para entonces, su piel tenía el color de los muertos, su nariz muchas veces mutilada había sido reducida a una cicatriz con dos agujeros, su boca era un tajo teñido de rojo y sus cejas un dibujo de susto, y se cubría la cabeza con pelucas.

Nada quedaba de él. Sólo el nombre. Se seguía llamando Michael Jackson.

# Prodigiosa burocracia

Sonia Pie de Dandré se levanta bien temprano, porque el trabajo obliga y también porque da gusto respirar el día cuando está recién nacido y huele a bebé.

Aquella mañana, ella caminó, cantando bajito, por las calles de Santo Domingo, mojadas de luz nueva, y estuvo entre las primeras de la cola, ante el mostrador donde se retiran los pasaportes. Cuando recibió el suyo, vio que entre los datos figuraba el color de la piel. *Trigueña,* decía el documento.

Sonia es negra, y eso no le parece nada mal. Pidió que se corrigiera el error. ¿Error?

—*En este país no hay negros* —le explicó el funcionario, negro, que había llenado los formularios.

# Conjuros

Alexandra Schjelderup volvió del frío.

Llevaba quince años viviendo lejos.

Lo primero que hizo Alexandra, recién llegada, fue encender la radio. Quería escuchar las novedades y las voces de su país. Un país, Panamá, que debe a sus indígenas los tamales que le hacen agua la boca, las hamacas donde duerme sus siestas en el aire y también los colores que exhibe y la memoria que oculta.

La radio estaba trasmitiendo publicidad. Se escuchaba una entrecortada conversación telefónica, puros ruidos incomprensibles, una mujer furiosa que preguntaba: "¿Pero quién es este indio que me llama?", y una voz profesional que aconsejaba: *Si no quiere que lo confundan con un indio, compre ya su celular de Cable & Wireless.*

# El Cristito

Dormía poco o nada la Niña María. Desde que la primera luz asomaba entre las montañas y hasta el fin de cada noche, estaba la Niña María clavada de rodillas ante el altar, susurrando sus rezos.

Al centro del altar, reinaba un pequeño Cristo moreno. El Cristito, oscurecido por la humazón de los cirios, tenía pelo de gente, pelo negro de la gente de por allí. Los campesinos del valle del Conlara frecuentaban mucho a ese hijo de Dios que tanto se les parecía.

La Niña María vivía a la mala, se la comía la mugre, pero cada día bañaba al Cristito con agua de manantial, lo cubría con las flores del valle y le encendía los cirios que lo rodeaban. Ella nunca se había casado. En sus años mozos, se había hecho cargo de sus dos hermanos sordomudos; y después había consagrado su vida al Cristito. Pasaba los días cuidándole la casa, y por las noches le velaba el sueño.

A cambio de tanto, la Niña María nunca había pedido nada.

A los ciento tres años de su edad, pidió. Nunca dijo el favor, pero contó la promesa:

—*Si el Cristito me cumple* —dijo—, *lo tiño de rubio.*

# Manosanta

El doctor no tenía secretaria, y creo que ni teléfono tenía. El consultorio, sin música funcional, ni alfombra, ni reproducciones de Gauguin en las paredes, no tenía más que una camilla, dos sillas, una mesa y un diploma de la Facultad de Medicina.

Él supo ser el sanador más milagroso del barrio de la Boca. Este científico curaba sin pastillas, ni hierbas, ni nada. Vestido de entrecasa, empezaba por preguntar:

—*Y usted, ¿qué enfermedad quiere tener?*

# Santo remedio

Hace dos siglos, en la ciudad de Salvador de Bahía, las familias copetudas convocaban a cuantos médicos pudieran pagar en torno al lecho del moribundo.

Familiares y vecinos se apiñaban en el dormitorio para escuchar a los galenos. Después de examinar al enfermo, cada médico pronunciaba una conferencia sobre el caso. Eran discursos solemnes, que el público, a viva voz, iba comentando:

—¡Apoyado!

—¡No! ¡No!

—¡Muy bien!

—¡Se equivoca el doctor!

—¡De acuerdo!

—¡Qué disparate!

Culminada la primera ronda, los facultativos volvían a exponer sus puntos de vista en nuevos discursos.

El debate demoraba. No mucho: hasta los moribundos más duros de morir apresuraban el último suspiro, aunque fuera de mal gusto interrumpir el trabajo de la Ciencia.

# Otro santo remedio

En América, el coco no fue sembrado por nadie. Se sembró solo. Desprendido de algún árbol de la Malasia, rodó por la arena y se dejó llevar por las aguas. Flotando en los mares del mundo, el coco navegante llegó a las costas americanas. Estas playas le gustaron, y desde entonces nos ofrece su jugo curandero.

Andrea Díaz iba trotando, una tardecita, a orillas del Pacífico, cuando perdió las rodillas, que se salieron de su sitio. En el puerto de Quepos, le dieron agua de coco:

—*Tómese esto* —mandó un buen hombre que la había recogido en el camino.

Y explicó que no hay mejor remedio:

—*Adán y Eva bebían nada más que esto, y no tenían ninguna enfermedad.*

Ella obedeció, pero no pudo callarse la boca:

—*¿Y usted cómo sabe?*

El hombre la miró con pena:

—*Pero mi niña, está en la Biblia. ¿No ve que en el Paraíso no había médicos? Las enfermedades vinieron después de los médicos.*

# Los milagros

En el último recodo de la calle Mouffetard, en París, encontré la iglesia de san Medardo.

Abrí la puerta, entré. Era domingo, pasado el mediodía. La iglesia estaba vacía, ya se habían apagado los rumores de las últimas plegarias. Había una limpiadora, barriendo la misa, desempolvando santos, y nadie más.

Recorrí la iglesia, de cabo a rabo. En la penumbra, busqué la ordenanza real del año 1732: *Por orden del Rey, se prohibe a Dios que haga milagros en este lugar.*

Carlitos Machado me había dicho que la prohibición estaba grabada en una piedra, a la entrada de esta iglesia consagrada a un santo demasiado milagrero. La busqué, no la encontré:

—*¡Ah no, señor! ¡No! ¡Pero no!* —se indignó la limpiadora, armada de escoba, coronada de ruleros, mientras continuaba, sin mirarme, su tarea.

—*Pero esa orden del rey... ¿nunca estuvo?*

La limpiadora me encaró:

—*Estar, estuvo. Pero ya no.*

En el cabo de la escoba apoyó las manos, y sobre las manos, el mentón:

—*Una cosa así no era de buen tono para los creyentes. Usted comprenderá.*

# Agradezco el milagro

A la orilla del altar, en las iglesias de México, se acumulan los exvotos. Son imágenes y letras, pintadas sobre latitas, que dan *gracias a la Virgen de Guadalupe, porque las tropas de Pancho Villa violaron a mi hermana y a mí no;*

*gracias al Santo Niño de Atocha, porque tengo tres hermanas y yo soy la más fea y me casé primero;*

*gracias a la Virgencita de los Dolores, porque antenoche mi mujer se juyó con mi compadre Anselmo y con eso él va a pagar todas las que me ha hecho;*

*gracias al Dibino Rostro de Acapulco, porque maté a mi marido i no me isieron nada.*

Así era. Y sigue siendo. Pero también se ven novedades, como los exvotos que dan *gracias a Nuestro Señor Jesucristo porque crucé el río y me vine a los Estéis y no me augué ni me murieron.*

Alfredo Vilchis, llamado Leonardo da Vilchis, pinta exvotos por encargo en el mercado de la Lagunilla. Sus Jesucristos tienen, todos, la cara de él. Y con frecuencia también pinta, para acompañar las palabras de gratitud, arcángeles vestidos de futbolistas. Son muchos los clientes que se han encomendado al Cielo en vísperas de los partidos decisivos, y el divino poder ha otorgado la gracia de los goles al club de sus amores o a la selección mexicana.

# El Más Allá

Al fin del verano del 96, José Luis Chilavert hizo un gol histórico en Buenos Aires. El arquero paraguayo, que atajaba goles y también los hacía, tiró desde muy lejos, casi desde el centro de la cancha: la pelota voló al cielo, atravesó las nubes y de pronto cayó verticalmente sobre el arco contrario y entró.

Los periodistas quisieron conocer el secreto de su disparo: ¿Cómo hizo la pelota ese viaje increíble? ¿Por qué cayó en línea recta desde la altura?

—*Porque chocó con un ángel* —explicó Chilavert.

Pero a nadie se le ocurrió ver si la pelota estaba manchada de sangre. Nadie se fijó. Y así nos perdimos la oportunidad de saber si los ángeles se nos parecen, aunque sea en eso.

# La Virgen

El pasado como hazaña de los machos: no hay mujeres en la historia oficial de las islas Canarias.

¿Ninguna? Hay una.

Hace siglos, antes de que España conquistara las islas, ella llegó a las costas de Tenerife.

Llegó flotando sobre las aguas, dormida en la espuma, y fue recogida por los pescadores. Cuando le hablaron, no contestó. Los pescadores la llevaron al rey de la isla. Ante el monarca, siguió muda. Y cuando los príncipes pelearon por ella, y disputando sus favores se mataron entre sí, ella asistió al espectáculo sin mover una ceja.

La única mujer de la historia de las islas todavía está allí. Se llama María, y le dicen Candelaria, por las candelas que la iluminan. Es virgen y es de madera. Los hombres la adoran de rodillas.

# Las otras

Según el evangelio de san Mateo, Jesús tuvo cuarenta y seis antepasados: cuarenta y un hombres y cinco mujeres.

Una de las cinco mujeres, María, concibió sin pecado, como bien se sabe. Pero las otras que figuran en el abolengo son

Tamar, que para tener un hijo con el suegro se disfrazó de prostituta;

Rahab, que ejercía ese oficio en la ciudad de Jericó;

Betsabé, que estaba casada con otro cuando engendró a Salomón en el lecho del rey David;

y Rut, que no pertenecía a la raza elegida y fue por eso indigna de la fe del pueblo de Israel.

Tres pecadoras y una despreciada: malditas en la tierra habían sido las abuelas del hijo del Cielo.

# Nochebuena

España, 24 al 25 de diciembre de 1939:

—*Es Nochebuena. Algún regalo nos van a dar* —decía Javier, y se reía solo.

Javier y Antón, prisioneros de las tropas franquistas, viajaban con las manos atadas a la espalda. El traqueteo del camión los empujaba uno contra el otro, y de vez en cuando los soldados los pinchaban con las bayonetas.

Javier hablaba sin parar. Antón callaba.

—*¿Adónde nos llevan?* —preguntaba Javier, que en realidad preguntaba y por qué a mí, a mí por qué si yo no soy rojo, ni nada, si jamás en la vida me he metido con nadie, si yo nunca anduve liado en esas cosas de la política, nunca, yo nunca, yo nada.

En uno de los tumbos del camino, quedaron pegados cara a cara, los ojos en los ojos, y entonces Javier apretó los párpados y musitó:

—*Oye, Antón. Fui yo.*

Pero no se oía nada. Los ruidos del camión no dejaban que se oyera nada. Casi gritando, Javier repitió fui yo, fui yo:

—*Yo los llevé. Fui yo.*

Antón había perdido la mirada a la orilla del camino. No había luna, pero resplandecían los bosques de Asturias. Y Javier decía que lo habían obligado, que tenían a toda su familia de rodillas, que los iban a matar, a los niños, a todos, y Antón seguía metido en las arboledas que en la negrura brillaban con luz propia, ese fulgor que corría contra el camión.

Javier se calló.

Sólo se escuchaban las toses del motor y los golpes del camino.

Al rato, Javier repitió:

—*Es Nochebuena.*

Y dijo:

—*Qué frío hace.*

Poco después, llegaron al paredón que los estaba esperando.

# Domingo de Pascua

1973, Montevideo, cuartel noveno de Caballería: jodida noche. Rugidos de camiones, ráfagas de metralla, los presos al suelo, boca abajo, manos en la nuca, un fusil clavado en cada espalda, gritos, patadas, culatazos, amenazas...

A la mañana siguiente, uno de los presos, que todavía no había perdido la cuenta del almanaque, recordó:

—*Hoy es domingo de Pascua.*

Estaba prohibido juntarse.

Pero se hizo. Al centro del barracón, se hizo.

Ayudaron los que no eran cristianos. Algunos vigilaban los portones de rejas y seguían los pasos de los soldados de guardia. Otros formaron un anillo de gente que iba y venía, caminando como al descuido, alrededor de los celebrantes.

Miguel Brun susurró algunas palabras. Evocó la resurrección de Jesús, que anunciaba la redención de todos los cautivos. Jesús había sido perseguido, encarcelado, atormentado y asesinado, pero un domingo como éste había hecho crujir los muros, y los había volteado, para que toda prisión tuviera libertad y toda soledad tuviera encuentro.

Los presos no tenían nada. Ni pan, ni vino, ni vasos siquiera. Fue la comunión de las manos vacías.

Miguel ofreció al que se había ofrecido:

—*Comamos* —susurró—. *Éste es su cuerpo.*

Y los cristianos se llevaron la mano a la boca, y comieron el pan invisible.

—*Bebamos. Ésta es su sangre.*

Y alzaron la ninguna copa, y bebieron el vino invisible.

# Historia del miedo

La luna tenía algo que decir a la tierra, y envió a un escarabajo.

El escarabajo llevaba ya algunos millones de años de camino, cuando en el cielo se cruzó con una liebre.

—*A este paso, nunca llegarás* —advirtió la liebre, y se ofreció a llevarle el mensaje.

El escarabajo le pasó la misión: había que decir a las mujeres y a los hombres que la vida renace, como renace la luna.

Y la liebre se lanzó a toda carrera hacia la tierra.

A la velocidad del rayo aterrizó en la selva del sur del África, donde en aquellos tiempos vivía la gente, y sin tomar aliento les trasmitió las palabras de la luna. La liebre, que siempre se va sin haber llegado, habló en su atropellado estilo. Y las mujeres y los hombres entendieron que les decía:

—*La luna renace, pero ustedes no.*

Desde entonces, tenemos miedo de morir, que es el papá de todos los miedos.

# El arte de mandar

Un emperador de China, no se sabe su nombre, ni su dinastía, ni su tiempo, llamó una noche a su consejero principal, y le confió la angustia que le impedía dormir:

—*Nadie me teme* —dijo.

Como sus súbditos no lo temían, tampoco lo respetaban. Como no lo respetaban, tampoco lo obedecían.

—*Falta castigo* —opinó el consejero.

El emperador dijo que él mandaba azotar a quien no pagara el tributo, que sometía a lento suplicio a quien no se inclinara a su paso y que enviaba a la horca a quien osara criticar sus actos.

—*Pero esos son los culpables* —dijo el consejero. Y explicó:

—*El poder sin miedo se desinfla como el pulmón sin aire. Si sólo se castiga a los culpables, sólo los culpables sienten miedo.*

El emperador meditó, en silencio, y dijo:

—*Entiendo.*

Y mandó al verdugo que cortara la cabeza del consejero, y dispuso que toda la población de Pekín asistiera al espectáculo en la Plaza del Poder Celestial.

El consejero fue el primero de una larga lista.

# Anatomía del miedo

Nace el día, tocado por los dedos del sol.

En los campos de El Salvador, las mujeres encienden los fogones y comienzan sus trajines.

—*¿Cómo amaneciste?* —preguntan, porque también ellas, como el día, amanecen.

Por sus cuerpos conocen lo que el nuevo día les dará.

En los años de la guerra, a la hora del amanecer, cada cuerpo de mujer era un mapa del miedo. Si el miedo oprimía los pechos, alguno de los hijos no iba a regresar. Si pinchaba la barriga, el ejército se estaba acercando. Y si dolía en los riñones, iba a faltar agua en el pozo; y se iba a jugar la vida quien saliera a buscarla.

# El susto

Casi la traga el río.

Eufrosina Martínez estaba lavando ropa, cuando la atrapó la correntada y la arrastró. Ella salvó la vida, después de mucho manotear entre las rocas; pero perdió el alma. El susto se la llevó: el alma, muerta de miedo, se fue en el agua.

Desde entonces, el cuerpo desalmado de Eufrosina ya no pudo moverse, dejó de comer, no consiguió dormir, y ya no supo distinguir la noche del día.

La sanó un curandero de la sierra de Puebla. Cuando el alma volvió del miedo, y se encontró con su cuerpo, Eufrosina se levantó y volvió a caminar sobre este mundo que a veces te voltea como un río furioso bajo los pies.

# El Cuco

Jugando sin parar, todos mezclados con todos, los chiquilines vivían en alegre revoltijo con los bichos y las plantas.

Pero un mal día, alguien, algún caminante, llegó hasta aquel resto de estancia en los campos de Paysandú, y trajo el susto:

—*¡Cuidado, que viene el Cuco!*

—*¡Viene el Cuco y te lleva!*

—*¡Viene el Cuco y te come!*

Olga Hughes advirtió los primeros síntomas de la peste. La enfermedad que no tiene farmacia había atacado a sus hijos numerosos. Y entonces eligió, entre sus numerosos perros, al más raquítico, al más inofensivo y querendón, y lo bautizó Cuco.

# La flauta mágica

Andaba por las calles el médico sanador de los instrumentos que habían perdido el corte o el recorte.

El pie del afilador hacía girar la rueda de esmeril, que arrancaba una lluvia de chispas a las hojas de cuchillos, navajas y tijeras. Los chiquilines del barrio, un enjambre de admiradores, éramos el público del espectáculo.

Como el organito anunciaba al barquillero, la flauta era el pregón del afilador.

Los vecinos decían que si uno estaba pensando en algo y escuchaba el son de esa flauta, cambiaba de opinión en el acto.

Ya casi no quedan afiladores en las calles de las ciudades, ya sus flautas no se meten por las ventanas. Otros sones suenan, músicas del miedo, y mucha es la gente que cambia de opinión en un instante.

# La peste

El barco se deslizaba hacia el sur, en la mar serena, a lo largo de la costa sueca.

Era una espléndida mañana de verano. Los pasajeros, sentados en cubierta, disfrutaban del sol y de la suave brisa, mientras esperaban la hora del desayuno.

De pronto, una muchacha corrió hacia la baranda y vomitó.

Entonces, la señora que estaba a su lado hizo lo mismo. En seguida, dos hombres se levantaron y las imitaron. Y uno tras otro fueron vomitando los demás pasajeros de los asientos de proa.

Los de la popa se reían de ese ridículo espectáculo; pero algunos no demoraron en meterse los dedos en la garganta, inclinándose sobre la mar en calma, y otros los siguieron.

Nadie podía no vomitar.

Víctor Klemperer estaba en uno de los últimos asientos. Para defenderse de la vomitadera general, se concentraba pensando en su próximo desayuno: el café con crema, la mermelada de naranja…

Y a los de más atrás les llegó el turno. Vomitaron todos. Él también.

Klemperer olvidó esta historia. Le volvió a la cabeza unos cuantos años después, en Alemania, mientras se hacía imparable el ascenso de Hitler.

# Alarma roja

Tiene pánico a la invasión el país que nadie invade y que tiene la costumbre de invadir a los demás.

En los años ochenta, el peligro se llamaba Nicaragua. El presidente Ronald Reagan fumigaba a la opinión pública con los gases del miedo. Mientras él hablaba por televisión denunciando la amenaza, el mapa se iba tiñendo de rojo a sus espaldas. El torrente de sangre y comunismo avanzaba por América Central, subía por México y entraba vía Texas a los Estados Unidos.

La teleaudiencia no tenía la menor idea de dónde quedaba Nicaragua. Y tampoco sabía que ese país descalzo había sido arrasado por una dictadura de medio siglo, fabricada en Washington, y por un terremoto que borró del mapa media ciudad de Managua.

La fuente del terror tenía, en total, cinco ascensores y una escalera mecánica, que no funcionaba.

# Fábricas

Corría el año 1964, y el dragón del comunismo internacional abría sus siete fauces para comerse a Chile.

La publicidad bombardeaba a la opinión pública con imágenes de iglesias quemadas, campos de concentración, tanques rusos, un muro de Berlín en pleno centro de Santiago y guerrilleros barbudos llevándose a los niños.

Hubo elecciones.

El miedo venció. Salvador Allende fue derrotado. En esos días de dolor, yo le pregunté qué era lo que le había dolido más. Y Allende me contó lo que había ocurrido ahí nomás, en una casa vecina, en el barrio de Providencia. La mujer que allí se deslomaba trabajando de cocinera, limpiadora y niñera a cambio de un sueldito, había metido en una bolsa de plástico toda la ropa que tenía y la había enterrado en el jardín de sus patrones, para que no la despojaran los enemigos de la propiedad privada.

# El encapuchado

Seis años después, a contramiedo, la izquierda ganó las elecciones en Chile.

—*No podemos permitir...* —advirtió Henry Kissinger.

Al cabo de mil días, un cuartelazo bombardeó el palacio de gobierno, empujó a la muerte a Salvador Allende, fusiló a muchos más y salvó a la democracia asesinándola.

En la ciudad de Santiago, el estadio de fútbol fue convertido en cárcel.

Miles de presos, sentados en las tribunas, esperaban que se decidiera su destino.

Un encapuchado recorría las gradas. Nadie le veía la cara; él veía las caras de todos. Esa mirada disparaba balas: el encapuchado, un socialista arrepentido, caminaba, se detenía y señalaba con el dedo. Los hombres por él marcados, que habían sido sus compañeros, marchaban a la tortura o iban al muere.

Los soldados lo llevaban atado, con una soga al cuello.

—*Ese encapuchado parece perro* —decían los presos.

—*Pero no es* —decían los perros.

# El profesor

En el patio, un ruido de botas con espuelas. Desde lo alto de las botas, tronó la voz de Alcibíades Britez, jefe de policía del Paraguay, un servidor de la patria que cobraba los sueldos y recibía las raciones de los policías difuntos.

Desnudo, tirado boca abajo sobre el charco de su sangre, el prisionero reconoció la voz. Ésta no era su primera estadía en el infierno. Lo interrogaban, o sea, lo metían en la máquina de picar carne humana, cada vez que los estudiantes o los campesinos sin tierra hacían alboroto y cada vez que aparecía la ciudad de Asunción llena de panfletos para nada cariñosos con la dictadura militar.

La bota lo pateó, lo hizo rodar. Y la voz del jefe sentenció:

—*El profesor Bernal... Vergüenza debía darte. Mirá el ejemplo que les das a los muchachos. Los profesores no están para armar líos. Los profesores están para formar ciudadanos.*

—*Eso hago* —balbuceó Bernal.

Contestó por milagro. Él era un resto de él.

# El molino

Nelly Delluci atravesó alambradas y pastizales en busca de un campo de concentración llamado La Escuelita, pero el ejército argentino no había dejado ni un ladrillo en pie.

Toda la tarde anduvo buscando en vano. Y cuando más perdida estaba en el descampado, deambulando sin ton ni son, Nelly vio el molino. Lo descubrió de lejos. Al acercarse, escuchó la queja del molino azotado por el viento, y no tuvo dudas:

—*Es aquí.*

No se veía nada más que pasto alrededor, pero éste era el lugar. De pie frente al molino, Nelly reconoció el gemido que quince años antes la había acompañado y había acompañado a los demás presos, día tras día, noche tras noche, mientras eran triturados en la tortura.

Y recordó: un coronel, harto de la letanía del molino, lo había mandado maniatar. Las aspas fueron atadas con varias vueltas de tiento. El molino siguió quejándose.

# Ecos

Se fue, pero se quedó. Fray Tito estaba libre, exiliado en Francia, pero seguía preso en Brasil. Los amigos le decían lo que los mapas decían, que el país de sus verdugos quedaba lejos, al otro lado del océano, pero eso de nada servía: él era el país donde sus verdugos vivían.

Estaba condenado a la cotidiana repetición de su infierno. Todo lo que había ocurrido, volvía a ocurrir. Durante más de tres años, sus torturadores no le dieron tregua. Fuera donde fuese, en los conventos de París y de Lyon o en los campos del sur de Francia, le pegaban patadas en el vientre y culatazos en la cabeza, le apagaban cigarrillos en el cuerpo desnudo y le metían picana eléctrica en los oídos y en la boca.

Y no se callaban nunca. Fray Tito había perdido el silencio. En vano deambulaba buscando algún lugar, algún rincón del templo o de la tierra, donde no resonaran esos gritos atroces que no lo dejaban dormir, ni lo dejaban rezar las oraciones que antes habían sido su imán de Dios.

Y ya no pudo más. *Es mejor morir que perder la vida*, fue lo último que escribió.

# El arquero

Al mediodía, frente a los muelles de Hamburgo, dos hombres bebían y charlaban en una cervecería. Uno era Philip Agee, que había sido jefe de la CIA en el Uruguay. El otro era yo.

El sol, no muy frecuente en aquellas latitudes, bañaba de luz la mesa.

Entre cerveza y cerveza, pregunté por el incendio. Algunos años antes, el diario donde yo trabajaba, *Época*, había ardido en llamas. Yo quería saber si aquella había sido una gentileza de la CIA.

No, me dijo Agee. El incendio había sido un regalo de la Divina Providencia. Y me contó:

—*Recibimos una tinta estupenda para achicharrar rotativas, pero no pudimos utilizarla.*

La CIA no había conseguido meter a ningún agente en el taller del diario, ni había podido reclutar a ninguno de nuestros obreros gráficos. Nuestro jefe de taller no dejaba pasar una. Era un gran arquero, reconoció Agee. *A great goalkeeper.*

Sí, le dije. Era.

Gerardo Gatti, con esa cara de bondad crónica y sin remedio, era un gran arquero. Y también sabía jugar al ataque.

Cuando nos encontramos en Hamburgo, Agee había roto con la CIA, una dictadura militar gobernaba el Uruguay y Gerardo había sido secuestrado, torturado, asesinado y desaparecido.

# Pérdidas

En Guatemala, en plena dictadura militar, la hija de don Francisco fue capturada en la sierra de Chuacús. A la madrugada, un oficial del ejército la arrastró hasta la casa de su padre.

El oficial interrogó a don Francisco:

—*¿Está mal lo que hacen los guerrilleros?*

—*Sí. Está mal.*

—*¿Y qué hay que hacer con ellos?*

Don Francisco no contestó.

—*¿Hay que matarlos?* —preguntó el oficial.

Don Francisco seguía callado, mirando el suelo.

Su hija estaba de rodillas, encapuchada, maniatada, con una pistola clavada en la cabeza.

—*¿Hay que matarlos?* —insistió el oficial.

Y otra vez. Y don Francisco no decía nada.

Antes de que la bala volara la cabeza de la muchacha, ella lloró. Bajo la capucha, lloró.

—*Lloró por él* —cuenta Carlos Beristain.

# Ausencias

Mil colores luce la muerte en el cementerio de Chichi-castenango. Quizá los colores celebran, en las tumbas florecidas, el fin de la pesadilla terrestre: este mal sueño de mandones y mandados que la muerte acaba cuando de un manotazo nos desnuda y nos iguala.

Pero en el cementerio no hay lápidas de 1982, ni de 1983, cuando fue el tiempo de la gran matazón en las comunidades indígenas de Guatemala. El ejército arrojó esos cuerpos a la mar, o a las bocas de los volcanes, o los quemó en quién sabe qué fosas.

Los alegres colores de las tumbas de Chichicastenango saludan a la muerte, la Igualadora, que con igual cortesía trata al mendigo y al rey. Pero en el cementerio no están los que murieron por querer que así también fuera la vida.

# Encuentros

Llevaba poco tiempo en la fábrica, cuando una máquina le mordió la mano. Se le había escapado un hilo: queriendo atraparlo, Héctor fue atrapado.

Y no escarmentó. Héctor Rodríguez se pasó la vida buscando hilos perdidos, fundando sindicatos, juntando a los dispersos y arriesgando la mano y todo lo demás en el oficio de tejer lo que el miedo destejía.

Creciéndose en el castigo, atravesó los años de las listas negras y los años de la cárcel y todo lo demás.

Cuando llegó el último de sus días, muchos fuimos a esperarlo a las puertas del cementerio. Héctor iba a ser enterrado en la colina que se alza sobre la playa del Buceo. Llevábamos allí un largo rato, aquel mediodía gris y de mucho viento, cuando unos obreros del cementerio llegaron trayendo a pulso un ataúd sin flores ni dolientes. Y tras ese ataúd entraron, en cortejo, algunos de los que estaban esperando a Héctor.

¿Por error? ¿Se equivocaron de ataúd? Quien sabe. Era muy de Héctor eso de ofrecer sus amigos al muerto que estaba solo.

# La puerta

Carlos Fasano había pasado seis años conversando con un ratón y con la puerta de la celda número 282.

El ratón no era muy consecuente, se escabullía y volvía cuando quería, pero la puerta estaba siempre.

Después, la cárcel se convirtió en un *shopping center* de Montevideo. El centro de reclusión pasó a ser un centro de consumo y ya sus prisiones no encerraban gente, sino trajes de Armani, perfumes de Dior y videos de Panasonic.

Las puertas de las celdas fueron a parar a la barraca que las compró.

Allí, Carlos encontró su puerta. No tenía número, pero la reconoció en seguida. Esos eran los tajos que había cavado con la cuchara. Esas eran las manchas, las viejas manchas de la madera, los mapas de los países secretos adonde él había viajado a lo largo de cada día de encierro.

Ahora la puerta se alza, a la intemperie, en lo alto de una loma donde está prohibido cerrar.

# La memoria

Peleó, fue herido, cayó preso.

Ya lo habían dejado bastante muerto en las cámaras de tortura, cuando un tribunal militar lo condenó a morir del todo.

Supo que estaba solo. Lo que quedaba de él había sido olvidado por sus compañeros.

Dejado de todos, esperaba que la muerte concluyera su trabajo.

En la soledad del calabozo, hablaba con la pared.

Pero antes que la muerte llegó el fin de la guerra; y fue liberado.

Y en las calles de la ciudad de San Salvador siguió conversando con las paredes, y les pegaba puñetazos y cabezazos porque no le contestaban.

Fue a parar al manicomio. Allí lo tenían atado a la cama. Ya ni con las paredes hablaba.

Norma, que años atrás había sido su amiga, fue a visitarlo. Lo desataron. Ella le dio una manzana. Sin decir palabra, él se quedó mirando la manzana entre sus manos, ese mundo rojo y luminoso, y al rato despedazó la manzana con los dientes y se levantó y repartió los trocitos, cama por cama, entre todos los demás.

Así, Norma supo:

—*Luis está loco, pero sigue siendo Luis.*

# Tik

En el verano de 1972, Carlos Lenkersdorf escuchó esta palabra por primera vez.

Había sido invitado a una asamblea de los indios tzeltales, en el pueblo de Bachajón, y no entendía nada. Él no conocía la lengua y la discusión, muy animada, le sonaba como lluvia loca.

La palabra *tik* atravesaba esa lluvia. Todos la decían y la repetían, *tik, tik, tik*, y su repiqueteo se imponía en el torrente de voces. Era una asamblea en clave de *tik*.

Carlos había andado mucho mundo, y sabía que la palabra *yo* es la que más se usa en todos los idiomas. *Tik*, la palabra que brilla en el centro de los decires y los vivires de estas comunidades mayas, significa *nosotros*.

# El colibrí

En algunos caseríos perdidos en los Andes, los memoriosos se acuerdan de cuando el cielo estaba montado sobre el mundo.

Teníamos al cielo tan encima que la gente caminaba agachada, y no podía enderezarse sin darse un cocazo. Las aves se echaban a volar y en el primer aleteo se chocaban contra el techo. El águila y el cóndor arremetían con todos sus ímpetus, pero el cielo no se daba por enterado.

El tiempo del aplastamiento del mundo terminó cuando un relampaguito bailandero se abrió paso en el poco aire que había. El colibrí pinchó el culo del cielo con su pico de aguja y a los pinchazos lo obligó a subir y a subir y a subir hasta las alturas donde ahora está.

El águila y el cóndor, aves poderosas, simbolizan la fuerza y el vuelo. Pero fue el más chiquito de los pájaros quien liberó a la tierra del peso del cielo.

# Sex symbol

El pulgo no hace ostentación. No alza altos mástiles, torres, obeliscos ni rascacielos. Tampoco fabrica largos fusiles, cañones ni misiles.

El pulgo, amante de la pulga, no necesita inventar ningún símbolo fálico, porque lo lleva puesto: mide nada menos que una tercera parte de su cuerpo, el tamaño más impresionante de todo el reino de este mundo, y está adornado con plumitas.

Los machos humanos, mandones y matones, llevan miles de años ocultando esta humillante información.

# El león y la hiena

El león, símbolo de la valentía y la nobleza, vibra en los himnos, flamea en las banderas y custodia castillos y ciudades. La hiena, símbolo de la cobardía y la crueldad, no vibra, ni flamea, ni custodia nada. El león da nombre a reyes y plebeyos, pero no hay noticia de que ninguna persona se haya llamado o se llame Hiena.

El león es un mamífero carnívoro de la familia de los félidos. El macho se dedica a rugir. Sus hembras se ocupan de cazar un venado, una cebra o algún otro bicho indefenso o distraído, mientras el macho espera. Cuando la comida está lista, el macho se sirve primero. De lo que sobra, comen las hembras. Y al final, si algo queda todavía, comen los cachorros. Si no queda nada, se joden.

La hiena, mamífero carnívoro de la familia de los hiénidos, tiene otras costumbres. Es el caballero quien trae la comida; y él come último, después que se han servido los niños y las damas.

Para elogiar, decimos: *Es un león*. Y para insultar: *Es una hiena*. La hiena se ríe. Por qué será.

# El murciélago

El conde Drácula le dio mala fama.

Aunque Batman hizo lo posible por mejorarle la imagen, el murciélago sigue provocando más terror que gratitud.

Pero el símbolo del reino de las tinieblas no atraviesa la noche en busca de pescuezos humanos. En realidad, el murciélago nos hace el favor de combatir la malaria cazando mil mosquitos por hora y tiene la gentileza de devorar los insectos que matan las plantas.

A pesar de nuestras calumnias, este eficiente pesticida no nos enferma de cáncer ni nos cobra nada por sus servicios.

# El tiburón

En el cine y en la literatura, este monstruo artero y sanguinario navega por los mares del mundo, con sus fauces siempre abiertas y su dentadura de mil puñales: piensa en nosotros y se relame.

Fuera del cine y de la literatura, el tiburón no muestra el menor interés en la carne humana. Rara vez nos ataca, como no sea en defensa propia o por error. Cuando algún tiburón muy miope nos confunde con un delfín o un lobo marino, pega un mordisco y escupe con asco: somos de mucho hueso y poca carne, y nuestra poca carne tiene un sabor horrible.

Los peligrosos somos nosotros, y bien lo saben los tiburones; pero ellos no hacen películas, ni escriben novelas.

# El gallo

El célebre gallo de Morón no era heraldo ni símbolo del nuevo día.

Era, dicen que era, juez, o recaudador de tributos, o enviado del rey. Se llamaba Gallo, de apellido, y pisando pueblo decía:

—*Donde este gallo canta, los demás callan.*

Adulón y humillador, hacia arriba lamía y hacia abajo escupía.

Durante años callaron los callados, hasta que un buen día asaltaron el palacete donde se ejercía el abuso, atraparon al abusón, le arrancaron las ropas y desnudo lo corrieron, a pedradas, por las calles.

Ocurrió, dicen que ocurrió, hace cosa de cinco siglos, en Morón de la Frontera, pero cualquiera que visite la ciudad puede ver a ese gallo desplumado, esculpido en bronce, corriendo todavía. Es una advertencia: para que te cuides, tú, mareado por el poder o el poderito, que te vas a quedar como el gallo de Morón, sin plumas y cacareando, en la mejor ocasión.

# La gallina

Comparando los datos de la organización Veterinarios sin Fronteras y de la Fuerza Aérea de los Estados Unidos, se llega a la conclusión de que la gallina y el avión de guerra no se parecen mucho:

la gallina tiene forma de gallina y se llama Gallina, y el avión de guerra B-2A tiene forma de murciélago y se llama Espíritu;

la gallina cuesta no más que cinco o seis dólares y el avión cuesta dos mil doscientos millones;

la gallina puede llegar a recorrer un kilómetro, cuando está en su mejor forma, y el avión duplica la velocidad del sonido y viaja doce mil ochocientos kilómetros sin recargar combustible;

la gallina no vuela ni a un palmo del suelo y el avión se eleva a más de quince mil metros;

la gallina pone un huevo por día y el avión pone dieciocho toneladas de bombas, guiadas por satélite.

# Las palomas

Sylvia Murninkas estaba patinando por la costa de Montevideo, una serena tarde de luces, cielo sin nubes, aire sin viento, cuando escuchó ruidos de guerra.

El combate ocurría en el hotel Rambla. La planta baja del hotel, en plena remodelación, estaba en escombros, y sobre la basura de cascotes y de astillas había una alfombra de plumas blancas.

Sylvia retrocedió espantada. Los símbolos de la paz se estaban matando a picotazos: se lanzaban en ráfagas, se trenzaban en el aire, se estrellaban contra los ventanales y volvían, bañados en sangre, otra vez al ataque.

# Héroes

Desde lejos, los presidentes y los generales mandan matar.

Ellos no pelearán más que en las reyertas conyugales.

No derramarán más sangre que la de algún tajito al afeitarse.

No respirarán más gases venenosos que los que escupe el automóvil.

No se hundirán en el barro, por mucho que llueva en el jardín.

No vomitarán por el olor de los cadáveres pudriéndose al sol, sino por alguna intoxicación de hamburguesas.

No los aturdirán las explosiones que despedazarán gentes y ciudades, sino los cohetes que celebrarán la victoria.

No les acosarán el sueño los ojos de sus víctimas.

# El guerrero

En 1991, los Estados Unidos, que venían de invadir Panamá, invadieron Irak porque Irak había invadido Kuwait.

Timothy McVeigh fue diseñado para matar, y programado para esa guerra. En los cuarteles lo instruyeron. Los manuales mandaban gritar:

—¡La sangre hace crecer la hierba!

Con ese propósito ecologista, el mapa de Irak fue regado de sangre. Los aviones arrojaron bombas como en cinco hiroshimas, y luego los tanques enterraron vivos a los heridos. El sargento McVeigh machacó a unos cuantos en aquellas arenas. Enemigos con uniforme, enemigos sin:

—*Son daños colaterales* —le dijeron que dijera.

Y lo condecoraron con la Estrella de Bronce.

Al regreso, no fue desenchufado. En Oklahoma, liquidó a 168. Entre sus víctimas, había mujeres y niños:

—*Son daños colaterales* —dijo.

Pero no le pusieron otra medalla en el pecho. Le pusieron una inyección en el brazo. Y fue desactivado.

# Tierra que arde

En la madrugada del 13 de febrero de 1991, dos bombas inteligentes reventaron una base militar subterránea en un barrio de Bagdad.

Pero la base militar no era una base militar. Era un refugio, lleno de gente que dormía. En pocos segundos, se convirtió en una gran hoguera. Cuatrocientos ocho civiles murieron carbonizados. Entre ellos, cincuenta y dos niños y doce bebés.

Todo el cuerpo de Khaled Mohamed era una llaga ardiente. Creyó que estaba muerto, pero no. Abriéndose paso, a tientas, consiguió salir. Él no veía. El fuego le había pegado los párpados.

Tampoco el mundo veía. La televisión estaba ocupada exhibiendo los nuevos modelos de las máquinas de matar que esta guerra estaba lanzando al mercado.

# Cielo que truena

Después de Irak, fue Yugoslavia.

Desde lejos, desde México, Aleksander escuchaba por teléfono la furia de la guerra sobre Belgrado. Cuando los teléfonos funcionaban, a veces sí, a veces no, él recibía la voz de Slava Lalicki, su madre, que apenas se hacía oír entre el estrépito de las bombas y el alarido de las sirenas.

Llovían los misiles sobre Belgrado, y cada estallido se repetía muchas veces en la cabeza de Slava.

Noche tras noche, durante setenta y ocho noches de la primavera de 1999, ella no pudo dormir.

Cuando la guerra terminó, tampoco pudo:

—*Es el silencio* —decía—. *Este silencio insoportable.*

# Los otros guerreros

Mientras los misiles eran sufridos por Yugoslavia, celebrados por la televisión y vendidos por las jugueterías del mundo, dos muchachos realizaron el sueño de la guerra propia.

A falta de enemigo, eligieron lo que tenían más a mano. Eric Harris y Dylan Klebold mataron a trece y dejaron un tendal de heridos, en la cafetería del colegio Columbine, donde estudiaban. Fue en Littleton, una ciudad que vive de la fábrica de misiles de la empresa Lockheed. Eric y Dylan no usaron misiles. Usaron pistolas, rifles y municiones que compraron en el supermercado. Y después de matar, se mataron.

La prensa informó que habían colocado, además, dos bombas de propano, para volar el colegio con todos sus ocupantes, pero las bombas no estallaron.

La prensa casi no mencionó otro plan que tenían, por lo absurdo que era: estos jóvenes enamorados de la muerte pensaban secuestrar un avión y estrellarlo contra las torres gemelas de Nueva York.

# Bienvenidos al nuevo milenio

Dos años y medio después de esa balacera en el colegio, las torres gemelas de Nueva York se derrumbaron como castillos de arena seca.

Este ataque terrorista mató a tres mil trabajadores.

El presidente George W. Bush recibió, así, permiso para matar. Proclamó la guerra infinita, guerra mundial contra el terrorismo, y al ratito invadió Afganistán.

Este otro ataque terrorista mató a tres mil campesinos.

Fogonazos, explosiones, alaridos, maldiciones: estallaban las pantallas de la televisión. Cada día repetían la tragedia de las torres, que se confundía con los estallidos de las bombas que caían sobre Afganistán.

En un pueblo perdido, lejos del manicomio universal, Naúl Ojeda estaba sentado en el suelo, junto a su nieto de tres años. El niño dijo:

—*El mundo no sabe dónde está su casa.*

Estaban mirando unos mapas.

Podían haber estado mirando un noticiero.

# Noticiero

La industria del entretenimiento vive del mercado de la soledad.

La industria del consuelo vive del mercado de la angustia.

La industria de la seguridad vive del mercado del miedo.

La industria de la mentira vive del mercado de la estupidez.

¿Dónde miden sus éxitos? En la Bolsa.

También la industria de las armas. La cotización de sus acciones es el mejor noticiero de cada guerra.

# La información global

Unos meses después de la caída de las torres, Israel bombardeó Yenín.

Este campo de refugiados palestinos quedó reducido a un inmenso agujero, lleno de muertos bajo las ruinas.

El agujero de Yenín tenía el mismo tamaño que el de las torres de Nueva York.

Pero, ¿cuántos lo vieron, además de los sobrevivientes que revolvían los escombros buscando a los suyos?

# La guerra infinita

Como era su costumbre, el presidente del planeta razonó.

Razonó así:

Para acabar con los incendios forestales, hay que talar los bosques;

para acabar con el dolor de cabeza, hay que decapitar al sufriente;

para liberar a los iraquíes, vamos a bombardearlos hasta hacerlos puré.

Y así, después de Afganistán, fue el turno de Irak.

Otra vez Irak.

La palabra petróleo no fue mencionada.

# La información objetiva

Irak era un peligro para la humanidad. Por culpa de Saddam Hussein habían caído las torres, y en cualquier momento este tirano terrorista iba a arrojar una bomba atómica en la esquina de tu casa.

Eso dijeron. Después, se supo. Las únicas armas de destrucción masiva resultaron ser los discursos que inventaron su existencia.

Mintieron esos discursos, mintieron la televisión, los diarios y las radios.

No mintieron, en cambio, las bombas inteligentes, que tan burras parecen. Destripando civiles desarmados, que volaron en pedazos en los campos y en las calles del país invadido, las bombas inteligentes dijeron la verdad de esta guerra.

## Órdenes

Ocurrió el once de setiembre del año 2001, cuando el avión secuestrado por los terroristas embistió la segunda torre de Nueva York.

No bien la torre empezó a crujir, la gente huyó volando escaleras abajo.

En plena fuga, resonaron de pronto los altavoces.

Los altavoces mandaban que los empleados volvieran a sus puestos de trabajo.

Se salvaron los que no obedecieron.

# El artillero

El primer ministro de Israel tomó la decisión. Su ministro de Defensa la trasmitió. El jefe de estado mayor explicó que iba a aplicar quimioterapia contra los palestinos, que son un cáncer. El general de brigada declaró el toque de queda. El coronel ordenó el arrasamiento de los caseríos y de los campos sembrados. El comandante de división envió los tanques y prohibió el ingreso de ambulancias. El capitán dictó la orden de fuego. El teniente mandó que el artillero disparara el primer misil.

Pero el artillero, ese artillero, no estaba. Yigal Bronner, último eslabón en la cadena de mandos, había sido enviado a prisión por negarse a la matanza.

# Otro artillero

Había sido albañil desde la infancia. Cuando cumplió dieciocho años, el servicio militar lo obligó a interrumpir el oficio.

Fue destinado a la artillería. Un día, en una práctica de tiro de cañón, le ordenaron disparar contra una casa vacía.

Era una casa cualquiera, sola en medio del campo. Él había aprendido a tomar puntería, y todo lo demás; pero no pudo hacerlo. Y a los gritos le repitieron la orden; pero no. No hubo caso. No disparó.

Él había construido muchas casas como ésa. Hubiera podido explicar que una casa tiene piernas, hundidas en la tierra, y tiene cara, como en los dibujos de los niños, ojos en las ventanas, boca en la puerta, y tiene en sus adentros el alma que le dejaron quienes la hicieron y la memoria de quienes la vivieron.

Eso hubiera podido explicar, pero no dijo nada. Si lo hubiera dicho, lo hubieran fusilado por imbécil. Plantado en posición de firmes, se calló la boca; y fue a parar al calabozo.

En un fogón de las sierras argentinas, en rueda de amigos, Carlo Barbaresi cuenta esta historia de su padre. Ocurrió en Italia, en tiempos de Mussolini.

# Y otro

Aquella no era una tarde de un domingo cualquiera del año 1967.

Era una tarde de clásico. El club Santafé jugaba contra el Millonarios, y toda la ciudad de Bogotá estaba en las tribunas del estadio. Fuera del estadio, no había nadie que no fuera paralítico o ciego.

Ya parecía que el partido iba a terminar en empate, cuando Omar Lorenzo Devanni, el goleador del Santafé, el artillero, cayó en el área. El árbitro pitó penal.

Devanni quedó perplejo: aquello era un error, nadie lo había tocado, él había caído por un tropezón. Quiso decírselo al árbitro, pero los jugadores del Santafé lo levantaron y lo llevaron en andas hasta el punto blanco de la ejecución. No había marcha atrás: el estadio rugía, se venía abajo.

Entre los tres palos, palos de horca, el arquero aguardaba.

Y entonces Devanni colocó la pelota sobre el punto blanco.

Él supo muy bien lo que iba a hacer, y el precio que iba a pagar por hacer lo que iba a hacer. Eligió su ruina, eligió su gloria: tomó impulso y con todas sus fuerzas disparó muy afuera, bien lejos del gol.

## El peso del tiempo

Hace cuatro siglos y medio, Miguel Servet fue quemado vivo, con leña verde, en Ginebra. Había llegado allí huyendo de la Inquisición, pero Calvino lo mandó a la hoguera.

Servet creía que nadie debía ser bautizado antes de llegar a la edad adulta, tenía sus dudas sobre el misterio de la Santísima Trinidad y era tan cabeza dura que insistía en enseñar, en sus clases de medicina, que la sangre pasa por el corazón y se purifica en los pulmones.

Sus herejías lo habían condenado a una vida gitana. Antes de que lo atraparan, había cambiado muchas veces de país, de casa, de oficio y de nombre.

Servet ardió, en lento suplicio, junto a los libros que había escrito. En la tapa de uno de esos libros, un grabado mostraba a Sansón cargando, a la espalda, una muy pesada puerta. Debajo, se leía: *Llevo mi libertad conmigo.*

# El paso del tiempo

Seis siglos después de su fundación, Roma decidió que el año empezaría el primer día de enero.

Hasta entonces, cada año nacía el 15 de marzo.

No hubo más remedio que cambiar la fecha, por razón de guerra.

España ardía. La rebelión, que desafiaba el poderío imperial y devoraba miles y más miles de legionarios, obligó a Roma a cambiar la cuenta de sus días y los ciclos de sus asuntos de estado.

Largos años duró el alzamiento, hasta que por fin la ciudad de Numancia, la capital de los rebeldes hispanos, fue sitiada, incendiada y arrasada.

En una colina rodeada de campos de trigo, a orillas del río Duero, yacen sus restos. Casi nada ha quedado de esta ciudad que cambió, para siempre, el calendario universal.

Pero a la medianoche de cada 31 de diciembre, cuando alzamos las copas, brindamos por ella, aunque no lo sepamos, para que sigan naciendo los libres y los años.

# El tiempo

Somos hijos de los días:
—*¿Qué es una persona en el camino?*
—*Tiempo.*
Los mayas, antiguos maestros de esos misterios, no han olvidado que hemos sido fundados por el tiempo y estamos hechos de tiempo, que de muerte en muerte nace.
Y saben que el tiempo reina y se burla del dinero que quiere comprarlo,
de las cirugías que quieren borrarlo,
de las píldoras que quieren callarlo
y de las máquinas que quieren medirlo.
Pero cuando los indígenas de Chiapas, que se habían alzado en armas, iniciaron las conversaciones de paz, uno de los funcionarios del gobierno mexicano puso los puntos sobre las íes. Señalándose la muñeca, y señalando las muñecas de los indios, sentenció:
—*Nosotros usamos relojes japoneses y ustedes también usan relojes japoneses. Para nosotros son las nueve de la mañana y para ustedes también son las nueve de la mañana. Ya déjense de fastidiar con esta cosa del tiempo.*

# Contratiempos

Cuando el tiempo está enemigo, cielos negros, días de hielo y tormentas, la alfalfa recién nacida se queda quieta y espera. Los tímidos brotecitos se echan a dormir, y en la dormición sobreviven, mientras dura el mal tiempo, por mucho tiempo que el mal tiempo dure.

Cuando por fin llegan los soles, y azulea el cielo y se entibia el suelo, la alfalfa despierta. Y entonces, recién entonces, crece. Tanto crece, que uno la mira y la ve crecer, empujada, desde la raíz, por un viento que no viene del aire.

# El vuelo de la luz

En las montañas más altas de Cajamarca, las que más demoraron en despertar y levantarse cuando el mundo nació, hay muchas figuras pintadas por artistas sin nombre.

Esos tatuajes de colores han sobrevivido en las laderas de piedra, desde hace miles de años, a pesar de los golpes de la intemperie.

Las pinturas son y no son, según la hora. Algunas se encienden cuando se abre el día y al mediodía se apagan. Otras van cambiando de forma y de color todo a lo largo del camino del sol, desde el alba hacia la noche. Y otras sólo se dejan ver cuando el crepúsculo llega.

Las pinturas han nacido de la mano humana, pero también son obra de la luz, la luz que el tiempo envía, día tras día; y están a su mandar. Ella, la luz, la otra artista, reina y señora, las esconde y las muestra como quiere y cuando quiere.

# El desafío

Los pájaros más grandes del mundo vuelan en el suelo, no en el cielo.

Fueron dibujados por los antiguos pobladores de la región de Nazca, que supieron cavar esas lindísimas figuras en el desierto feísimo.

Vistos desde abajo, los trazos no dicen nada: no son más que largos canales de piedra y polvo que se pierden en el páramo de polvo y piedra.

Vistos desde arriba, desde un avión, esas arrugas del desierto forman gigantescos pájaros de alas desplegadas.

Los dibujos tienen dos mil o dos mil quinientos años de edad. Aviones, que se sepa, no había. ¿Para quién, para quiénes, fueron hechos? ¿Para los ojos de quién, de quiénes? Los expertos no se ponen de acuerdo.

Digo yo, me pregunto: esas líneas perfectas, que resplandecen en la sequedad, ¿no habrán nacido para que el cielo las viera?

El cielo nos ofrece sus espléndidos diseños, trazados con estrellas o con nubes, lo que es de agradecer; pero la tierra también puede. Quizás eso quisieron decir aquellas gentes que convirtieron el desierto en obra maestra: que también la tierra puede dibujar como el cielo dibuja, y puede volar, sin despegarse del suelo, en las alas de los pájaros que crea.

# La fundación de los días

Es el primero. Cuando se acerca el fin de la noche, el desafinado rompe el silencio. El desafinado, que jamás se cansa, despierta a los maestros cantores. Y antes de la primera luz, todos los pájaros del mundo inician su serenata en la ventana, volando sobre las flores que se les parecen.

Algunos cantan por amor al arte. Otros trasmiten noticias, o cuentan chismes o chistes, o echan discursos, o proclaman alegrías. Pero todos, los artistas, los periodistas, los chismosos, los chistosos, los latosos y los loquitos se unen en una sola algarabía a plena orquesta.

¿Los pájaros anuncian la mañana? ¿O cantando la hacen?

# Índice

Se terminó de imprimir en el mes de
junio de 2005 en Imprenta de los
Buenos Ayres S.A.I.C., Carlos Berg 3449,
Buenos Aires - Argentina